À la mémoire de mon père

Photo de couverture: © Guy Charneau
© 2012, Éditions Glénat
Couvent Sainte-Cécile – 37, rue Servan – 38000 Grenoble
www.glenatlivres.com
Tous droits réservés pour tous les pays
ISBN: 978-2-7234-8784-9
Dépôt légal: avril 2012

Le gourou du vin

▶ AVEC ISABELLE BUNISSET

Michel
Rolland
Le gourou du vin

Glénat

« *Le ciel ne nous donne des vertus ou des talents qu'en y attachant des infirmités; expiations offertes au vice, à la sottise et à l'envie.* »
Chateaubriand

Longtemps j'ai refusé à quelques aspirants d'écrire mon histoire. L'entreprise me semblait périlleuse et surtout prématurée. Il me manquait le recul que seules les années d'exercice et de réflexion confèrent. Il s'est dit tant de choses à mon sujet. Beaucoup de bruits et peu de vérités. Beaucoup de polémiques et peu d'honnêtetés, l'essentiel étant le plus souvent escamoté. Pour autant, je n'étais pas résigné à taire ce qui fut une aventure exaltante ; une aventure qui n'a pas connu d'équivalent et qui ne pourra sans doute être réitérée. Question de circonstances et peut-être même de providence.

J'ai commencé l'œnologie quand tout restait à inventer et à éprouver. J'ai initié ou accompagné les mutations majeures de la viticulture et de la vinification. J'ai voyagé, aux lisières du monde, sous toutes les latitudes, pour mettre à mal les certitudes d'incertains. J'ai assemblé des cépages que l'on pensait inconciliables. J'ai découvert des terres que l'on croyait ingrates et sur lesquelles aujourd'hui poussent fièrement des ceps de vigne. J'ai rencontré des hommes singuliers qui avaient à cœur de produire des vins de caractère dans des pays au destin viticole improbable. L'enthousiasme, voilà ce qui fait la lumière de la vie. Je le répète souvent, on ne peut rien entreprendre quand on n'a pas l'envie chevillée au corps et les yeux qui voient plus loin que l'époque.

On me dit « gourou[1] »... Peut-être, mais au sens d'un prédicateur qui se garderait bien de dispenser des conseils-oracles. Il n'y a que les journalistes pour croire que les œnologues sont des apprentis sorciers.

Au début, j'ai aimé le vin parce que je devais l'aimer. Fils de viticulteurs du Libournais, j'étais destiné à reprendre la propriété familiale. En quittant les bancs de l'université, j'ai compris que la connaissance du terrain s'avérait indispensable pour combattre les aléas de la vigne et du vin. J'ignorais en revanche que mes initiatives et mes créations, quelques décennies plus tard, susciteraient tant de controverses. Comment aurais-je pu imaginer que le jugement gustatif se changerait en jugement politique ? Que nous vivrions sous un régime de procès permanent ? Le problème des débiles rancunes est que l'on cherche à se justifier, et de ces justifications naissent de nouvelles rancunes.

Entre les attaques en règle aveugles et le panégyrique sourd, il est une place que la nuance doit réussir à investir. Il ne s'agit pas ici de nourrir les polémiques, mais de montrer que ces querelles cachent des raisons autres que celles dont voudrait nous convaincre une nouvelle engeance de « bien-pensants ». Quel amoncellement de bêtises que ces discours ressassés sur le sacro-saint terroir, les vignerons poètes, le formatage des vins ! Ces parangons de vertu dénigrent sans connaître, condamnent sans s'interroger. Ils créent des clans et des écoles, ils opposent des vins « à la manière de » et se déclarent

---

1 N'oublions pas le sens originel du mot qui, en sanskrit, se dit « *guru* » et signifie « connaissance ». « *Gu* » désigne « ombre » et « *ru* », « lumière ». Le terme décrit en fait le passage de l'ombre à la lumière. On est loin de l'acception négative contemporaine.

volontiers, dans une abnégation toute sacrificielle, farouches résistants à l'uniformisation du goût. Messages à grosse louche. C'est simple, facile, efficace. Mais insatisfaisant dès lors qu'on sait. Pourquoi, en matière de goût, faudrait-il fonctionner selon un système d'exclusions ? De grâce, préservons cet espace de liberté. Ne soyons pas binaires, sinon tout un pan de différenciation fine, de plaisir et finalement de vie passera à la trappe. Le vin est un des rares domaines où procéder à un choix n'entraîne pas la réfutation d'un autre. On peut apprécier des choses entièrement différentes, sans que notre intégrité morale soit mise en doute. Qui aurait autorité pour nous en priver ?

Il était grand temps de se défaire de ces cloisonnements stériles qui cimentent les préjugés. Aujourd'hui, je me dis que le public va connaître mon métier de vinificateur, de consultant, d'assembleur. Avec son lot de défis, de remises en question, de sages imprudences, et d'émerveillements aussi. Cela peut suffire à motiver un livre.

CHAPITRE I

Le paysage familial

« L'enfance est avant tout géographique. »

Que reste-t-il de mon enfance ? Des heures douces sur un banc de pierre devant la demeure de mes grands-parents, Le Bon Pasteur. Et toutes ces autres où j'arpentais les chemins alentour. Petit garçon en culottes courtes dans la France des années 1950, je rêvais de suivre les traces de James Dean. En fait de traces, je ne voyais que celles des tracteurs... Pomerol, avec ses courbes modérées, était déjà recouvert de vignobles. Joliment les vignes débordaient les unes sur les autres. Seules les maisons paraissaient égarées dans cette campagne alanguie. Le temps se serait immobilisé. Depuis cette époque, on appelle pompeusement « châteaux » des propriétés sans château ! Seul celui de Sales, par son architecture et l'étendue de son exploitation viticole, se différenciait. Il appartenait à la famille Lambert des Granges ; ces aristocrates faisaient alors commerce du vin et avaient développé une affaire de négoce.

En ce temps, on distinguait essentiellement trois classes : celle de la noblesse, comme les Bailliencourt à Gazin ; celle de la bourgeoisie viticole libournaise, la plus implantée, au rang de laquelle on peut citer madame Loubat à Pétrus, les Thienpont (Vieux Château Certan), les Nicolas (La Conseillante), les Ducasse (L'Évangile) ; enfin, celle des paysans-propriétaires à Pomerol, qui travaillait dans ses vignes (la surface de leurs domaines oscillait entre quatre hectares et demi et sept hectares).

Mon grand-père maternel, Joseph Dupuy, était de ceux-là. Un grand gaillard, planté, affable. Il gérait une entreprise de travaux agricoles. Dans les années 1920 et jusqu'à la Seconde Guerre mondiale, il n'y avait pas d'engins mécaniques ; il fallait préparer à la main les sols pour les plantations et traiter le vignoble l'été en sillonnant les rangs. Les machines de traitement se portaient sur le dos. Les parents de Joseph Dupuy étaient bordiers[1] au château Gazin. Mon arrière-grand-mère s'occupait des « petites façons » : le levage[2], le rognage[3], l'épamprage[4]. Des scènes agrestes qui se répétaient d'une génération à l'autre. Mon arrière-grand-père, quant à lui, était en charge des « grands travaux » : la taille, les labours, l'entretien des terres, les traitements à base de bouillie bordelaise, composée de cuivre et de chaux, à laquelle on ajoutait du soufre. On ne pensait pas encore « durable », mais on ne voulait pas s'empoisonner ! Les esprits simples se persuadaient qu'on ne s'intoxiquait pas avec du cuivre… L'horizon s'arrêtait à Maillet, un lieu-dit limitrophe de Saint-Émilion. On ne voyageait que d'un village à l'autre. Le Médoc était une contrée lointaine. Bordeaux, une expédition.

---

1 Métayers.
2 Placement des branches dans les fils de fer.
3 Coupe des branches trop longues.
4 Suppression des pousses indésirables.

Comme tant d'autres de ce temps, mon grand-père se levait et se couchait avec le soleil. Il travaillait quinze heures par jour. Il ne connaissait ni le repos ni la religion des vacances et aimait répéter : « La retraite, on l'aura au cimetière. » Il regardait les herbes pousser, parlait aux oiseaux. Je me souviens aussi de ses histoires, qu'il voulait drôles. Pour lui, le sérieux confinait à l'impolitesse. Jamais de plainte ni d'attendrissement nostalgique. Au fond, il ne fonctionnait qu'au rire et à la ventrée. Zéro instruction. Il avait quitté le primaire à douze ans, échappant à l'école comme il échappera quelques années plus tard au feu de la mitraille. Chauffeur d'un général parisien, il ne monta pas au front en 1914. Sans doute savait-il qu'il risquait de ne pas revenir !

Il observait chaque repli du sol, les variations capricieuses des températures, les floraisons et ces petites morts qu'on nomme fanaisons. Toute une vie à fleur d'âme. Il guettait la course des nuages, levait le nez au ciel et se lançait dans des prévisions. Il ne se trompait pas souvent, grand-père. Pour qui sait la sentir, la nature devient complice. La vigne, une compagne de tous les instants. L'image de ce vrai terrien est restée intacte en ma mémoire. Comme ses paroles libres et enjouées. Depuis longtemps, il avait décidé d'être heureux.

Pourtant, il n'a pas fait un mariage d'amour. Dans ce milieu modeste, besogneux et économe, pas de place pour les états d'âme. Les histoires romantiques, c'était dans les livres. Il épousa Hermine Fonsauvage, originaire de Néac (commune voisine), une belle femme instruite et intelligente, excellente couturière et cuisinière, mais si peu apte au bonheur, au sien comme à celui des autres. Elle ne savait que rudoyer et culpabiliser son entourage. L'amertume remplaçait ordinairement la compréhension. La méchanceté était chez elle.

Dans cette même branche de la famille, il y avait la cousine Annette, qui habitait Montpon, petit village de la Dordogne. Elle tenait un bar-hôtel-restaurant où séjournaient les « voyageurs de commerce », comme on les appelait alors. Avec mon frère, nous ne nous faisions pas prier pour lui rendre visite. Annette possédait, à nos yeux, deux attraits essentiels : elle nous laissait boire des « Sauterelles », cocktail dynamite à base de Get 27, et elle nous faisait rire. Elle avait une allure, un ton et des formules inoubliables, en un temps où tout croupissait sous l'épaisse hypocrisie. L'œil d'un feu extraordinaire, elle avait la gaieté féroce. Nous aimions goûter ses sarcasmes. L'humanité, elle l'avait vue défiler derrière son comptoir. Elle avait préféré s'en moquer. Son regard acéré débusquait les travers de ses clients et la moindre de leurs disgrâces. Elle ramassait alors ses observations en de saisissants raccourcis. Cette élégante n'ignorait pas que ses anecdotes scabreuses choquaient. Elle nous répétait souvent, comme pour mieux s'en convaincre : « La vie, il faut la provoquer ! » Quand elle en voyait un « accroché » à la bouteille, rouge comme un coucher de soleil, elle me glissait à l'oreille : « En voilà un autre bronzé intégralement au chai ! » Avec mon frère, on passait de longs moments à observer cette drôle de clientèle : les pressés, les perdus, les bavards. Certains buvaient tous leurs sous. Devant notre mine dépitée, Annette déclarait, rictus au coin des lèvres : « Que voulez-vous, les drôles, y en a qui respirent, d'autres qui picolent. »

Mes grands-parents paternels étaient viticulteurs et boulangers. Des gens de bonne volonté. André Rolland, propriétaire d'une boulangerie, limitait son activité aux tâches administratives et politiques. Il n'est jamais monté sur un tracteur, ni sur une estrade d'ailleurs ! Toujours chapeauté, le col blanc amidonné, les chaussures vernies.

Ça lui donnait une sacrée allure! Il était entiché de belles-lettres et se passionnait pour les grands orateurs. Son maître à penser s'appelait Jaurès. Il rêvait de suivre ses pas. Arc-bouté sur ses crayons, il écrivait de jolis discours que personne n'a jamais lus. Il était radical socialiste. Cela ne l'empêchait pas de vivre dans une aile du château de Francs, magnifique demeure qu'il partageait avec une famille d'aristocrates. Il se contentait d'entretenir des rapports courtois avec les huiles locales, comme avec ses employés. La grande affaire d'André Rolland fut d'être à l'initiative de la cave coopérative de Francs (bordeaux et bordeaux supérieur), une des premières en Gironde. Et la première de ses qualités: la drôlerie. Je crois qu'il a fini par préférer les hommes aux idées.

Il eut quatre enfants dont s'occupait la dévouée Marie. Mon père, Serge, étant l'aîné des garçons, devait assurer la gérance du domaine viticole, situé dans la région de Francs. Quelques années plus tard, à un bal, il rencontra ma mère, Geneviève Dupuy, qui mit peu de temps à le convaincre de s'installer chez elle à Pomerol. Une décision dénuée de toute logique économique car les vins moelleux de Francs se vendaient mieux que les pomerols! Les arguments sentimentaux de ma mère ne trouvèrent pas longtemps de résistance. La célébration du mariage eut lieu en 1942 au château Le Bon Pasteur, aujourd'hui encore fief familial.

Il est resté ce petit banc de pierre, un de ces vestiges qui endorment les années. J'ai tenu à le préserver lors des derniers travaux de restauration en 2000.

Je suis venu au monde le 24 décembre 1947 à la clinique du Libournais, quatre ans après mon frère Jean-Daniel, aujourd'hui avocat en droit civil. Mon père comme ma mère espéraient une fille ; ils lui avaient même choisi un prénom : Marie-Noëlle. Devant les belles évidences, ils y renoncèrent. Je fus alors baptisé Noël-Michel Rolland. J'ai eu de la chance : j'ai été aimé, un avantage inouï dans la vie. J'ai hérité de mes ancêtres une sagesse paysanne, une nuque forte et un rire qui sonne clair. Mes parents n'avaient qu'une ambition : nous élever, mon frère et moi, le mieux possible. Mon aîné a été scolarisé un temps dans la prestigieuse école de Jésuites Saint-Joseph de Sarlat, en Dordogne. Mais les gelées de 1956 ayant eu raison de leurs revenus, mes parents ont dû se résigner à le changer d'établissement. Ce serait Montesquieu à Libourne pour le primaire, puis le collège, qu'on n'appelait pas encore lycée.

Si Geneviève, ma mère, ne manquait pas une messe et priait tous les jours pour l'au-delà, elle assurait gentiment notre quotidien sur terre. Femme au foyer, elle entretenait la maison et surtout notre embonpoint. Sa cuisine, riche et succulente, faisait notre bonheur. Un bonheur nourri, régulier, solide. À cette époque, il fallait finir les assiettes et les remplir de nouveau. On avait peur de manquer. La guerre avait marqué les esprits. Quand on voyait un enfant malingre, on le pensait malade. Pourquoi ne s'est-on jamais inquiété de ma santé ?

Geneviève fut une mère très attentive, pleine d'amour pour ses deux chenapans qui, sans avoir été des monstres, lui ont causé des inquiétudes et des insomnies. Surtout quand nous prenions l'Ami 6 à la nuit tombante pour rejoindre nos copains. Dans les bars, on écoutait en boucle les Beatles, Ray Charles, Aretha Franklin. Nos pièces de vingt centimes, on les écoulait dans le juke-box de L'Orient, à Libourne. On fumait des cigarettes en attendant l'ouverture des boîtes de nuit : La Grille d'égout, à Bordeaux, ou

Le Takouk, à Saint-Christophe-des-Bardes. On fréquentait, avec une assiduité rare, des endroits chics aux noms exotiques. On était snobs sans le savoir.

Mon père nous prêtait sa 404 uniquement les jours de fête. Sans doute l'atmosphère de liesse lui faisait-elle oublier que nous avions tordu un peu de tôle. Dès l'aube, ma mère ratissait frénétiquement l'allée de graviers pour calmer ses nerfs, même en l'absence de mauvaises herbes. Quand nous rentrions au petit matin, blancs comme des cierges, nous cafouillions : « Une douche et on va à la messe. » Faisait-elle mine de nous croire ? Aujourd'hui, elle a quatre-vingt-treize ans. Elle semble ne plus redouter de vieillir, même si ses jambes la font souffrir. Elle a gardé quelques coquetteries, des manières désuètes de l'ancienne France, une jeunesse de cœur et le souvenir de mon père. Dans sa maison de Libourne, entre deux parties de Scrabble sur l'ordinateur, elle cuisine. Ses arrière-petits-enfants, Camille, les jumeaux Arthur et Théo, apprécient particulièrement son gâteau le « Petit Brun ». Moi aussi. Cuisiner ou aimer, au fond, c'est pareil.

Mon père, Serge, était lui aussi un homme de la terre. Mon grand-père ayant besoin de lui à la propriété, il dut quitter l'école en seconde. Ne pas poursuivre ses études a toujours été le grand regret de sa vie. Je le convaincrai plus tard d'assister au cours du professeur Émile Peynaud le lundi matin[1]. Au début, il se montra réticent – « À l'université, à mon âge ! » –, puis rapidement enthousiaste. Il répétait souvent : « La connaissance, c'est le sel de l'existence. On ne manque de rien quand on sait. »

---

1 Ce cours ouvert au public a précédé le diplôme universitaire d'aptitude à la dégustation (DUAD) ; il était dispensé par le professeur Émile Peynaud à la faculté de Bordeaux II.

Il tenait à l'instruction autant qu'à ses vignes. Il avait le rêve modeste et nous aurait bien vus instituteurs « polyvalents », enseignant la semaine et travaillant dans le vignoble le jeudi et le dimanche. Devenir fonctionnaire, c'était déjà choisir la sécurité. Les guerres menaçaient encore. Seuls les lieux avaient changé : Indochine, Algérie. Mon frère et moi, nous y avons échappé. Au moment d'aller sous les drapeaux, les hostilités cessèrent. Les sursis nous avaient sauvés.

Serge Rolland était un travailleur d'une honnêteté sans faille. Toujours arrangeant avec son personnel, toujours prêt à aider, il refusait d'être autoritaire. Les exigences, il les réservait pour lui. Je le revois batailler dans nos anciens chais, vieux, sombres, impossibles à entretenir. Bien qu'il préférât de loin les travaux en extérieur, il s'occupait du vin avec un soin maniaque. Il aimait aussi la vie associative. Il participait à toutes les instances, de la mairie de Pomerol au syndicat, en passant par les coopératives d'approvisionnement. Un homme de devoir. Un homme qui nous manque.

Il est mort à la suite d'un coma irréversible. Une banale opération du genou. Choc allergique. Treize mois d'attente. J'en ai voulu à Dieu parce qu'il ne le méritait pas. On lui parlait, on lui tenait la main, on ne voulait pas qu'il parte. Après tout, la mère d'un ami médecin s'était bien réveillée après six mois d'absence ! Pourquoi pas lui ? À la fin, il était devenu tout petit sur son lit d'hôpital, si peu de chair lui tenait au corps. Dans sa chambre, on guettait des signes. On ne pouvait s'empêcher d'espérer. Même décharné, c'était toujours lui. Le 21 août 1979, arrêt de l'arbitre. On ne le verrait plus. C'était sûr, cette fois-ci. Même si on n'en voulait pas, de cette certitude.

Que dire de ma scolarité ? Elle fut ordinaire, tout en ne l'étant pas. À Néac, études primaires dans une école libre catholique ; à Libourne, collège d'enseignement général ; à Angoulême, le lycée agricole de L'Oisellerie, et à Sauternes, l'école de La Tour-Blanche. Dans l'après-guerre, à la campagne, l'aîné faisait des études et le plus jeune reprenait la propriété. Selon ce schéma classique, j'aurais dû m'arrêter au certificat d'études.

L'avais-je pressenti, pour mettre un point d'honneur à demeurer, sinon cancre, du moins médiocre en cours ? Je ne forçais pas mon talent. À cet âge-là, on a la constance que l'on peut ! Jamais de prix ni de couronne dans les concours. Je préférais l'odeur des fenouils sur les chemins à celle de la craie. En l'absence de commodités de transport, j'ai dû quitter Pomerol pour Libourne. Je venais d'avoir dix ans. Ce départ fut plus douloureux encore pour mes parents. Je découvris alors la ville, la grande, et surtout le flipper et le baby-foot au troquet du coin, Le Valois. On n'y croisait pas des intellectuels, mais des gouailleurs, à la face gravement avinée, qui préféraient jouer aux cartes et au billard qu'aux bons pères de famille. Je n'éprouvais pas le moindre remords à déserter les salles de classe pour rejoindre mes amis. Le jour où ma mère se rendit compte de l'entourloupe, j'ai pris une volée de bois vert. Certes, j'avais une nouvelle maison, boulevard Beauséjour, mais je regrettais la campagne, les champs, les vignes. Et surtout mes parties de ballon. Mon chagrin, c'était ça, à l'époque.

Il disparaissait vite quand je parlais au curé de Pomerol, le père Capdequi, Béarnais d'origine arrivé à Néac en 1955. J'avais alors huit ans. Il quittait souvent le presbytère pour nous rendre visite. Il savait aussi abandonner le langage paroissial pour décocher quelques traits d'esprit. La foi et l'humour ne sont pas incompatibles, je l'ai découvert avec lui. Il était, comme on dit, l'ami de la famille. Mon père lui avait appris à conduire dans une Aronde et ma mère lui mitonnait de bons petits plats, pas de ceux qu'on mange à la petite cuillère : saucisse aux lentilles, poule au riz, petit salé. En somme, des choses sérieuses. Le vendredi saint, dernier jour de carême, il savourait la brandade de morue avec une gourmandise qui aurait pu ressembler à un péché. Il aimait le vin, sans doute plus que l'eau bénite. Comme l'écrivait Léon Bloy : « Quand le vin est pur, il fait voir Dieu. » À chaque visite, il portait une bonne bouteille. Les propriétaires ne manquaient pas de générosité à son égard, au point de lui avoir constitué la plus belle cave de la commune. Il possédait beaucoup des pomerols de 1947, année de ma naissance, un grand millésime aux tanins caressants. Il a attendu ma majorité pour me laisser boire ces vieux flacons. Sans doute un de mes meilleurs souvenirs de dégustation. La magie des premières fois ! Le premier frisson dans le ventre, le premier amour, la première bécasse... N'y voyons pas de lien !

Le père Capdequi connaissait bien son « métier ». Il savait aussi son impuissance. Il avait passé des années à observer la nature humaine. Il fut mon père spirituel – l'expression ne saurait être mieux choisie – avant même d'être mon confesseur. Il m'a tant apporté en matière d'analyse des comportements, d'éducation, de tolérance ! Le genre de personnage qui vous rend meilleur, ou tout au moins, qui vous donne envie de l'être. Je lui parlais souvent de ma grand-mère, de ses manigances, de ses sempiternelles jalousies et des conflits de famille qui ne se réglaient pas toujours au tribunal. Le mutisme du ciel, ce n'était pas mon affaire. Je l'exhortais alors à me répondre : comment organiser une vie qui ne soit pas dans le combat mais nourrie par l'enthousiasme ? Il me disait qu'il existait des choses plus belles que celles que je voyais tous les jours. Peut-être avait-il les mêmes problèmes que moi ? Quand je me plaignais de l'hypocrisie généralisée, il me conseillait de réfléchir froidement. Au fond, il voulait m'épargner.

À notre majorité, mon frère et moi avons suivi ce « compagnon d'absolu » à trois reprises en Italie. Quand on montait dans son Aronde, noire comme sa soutane, il levait les bras au ciel et déclarait avec l'assurance d'un cardinal : « Je me remets entre les mains de la Divine Providence ! » On n'était pas sereins pour autant. Ce dévoué serviteur était féru d'art et parlait couramment l'italien. Ses stars à lui, c'était le duc de Saint-Simon et surtout Michel Ange. Il devenait alors intarissable : le plafond de la chapelle Sixtine, les sculptures du musée des Offices, la statue de l'Apollon à Florence dont « la beauté était à couper le souffle », mais aussi la pietà de la basilique Saint-Pierre de Rome. Tous ces cierges allumés ! L'agonie du Christ... On passait de la lumière à la pénombre et de l'été à l'éternité, en contemplant dans les églises les nefs voûtées, les colonnes, les arcs, les bancs sculptés. Tous ces corps ciselés dans le minéral, ces jambes fusiformes, ces ventres durs, ces musculatures nerveuses. Quand on rentrait dans nos logis modestes, je cherchais le miroir. Je me trouvais aussitôt toutes sortes d'irrégularités. Je prenais alors des poses olympiennes et gonflais mon torse puissant. Je n'étais pas convaincu, mon frère non plus. Sa mine de carême ne pouvait me laisser penser le contraire. On finissait toujours par en rire. Ça ne nous empêchait pas d'être croyants et de servir la messe tous les matins.

Le père Capdequi était également de toutes les fêtes familiales. Il a gardé longtemps cette même spontanéité lumineuse et généreuse. Il est de ces êtres, trop rares, qui vous font aimer l'existence dans ce qu'elle a de plus simple et de plus vrai. De l'adolescence à l'âge adulte, je l'ai beaucoup consulté. Je ne sais pas s'ils venaient du ciel, mais ses jugements tombaient toujours de très haut. Ses bons mots, ses réflexions, je les garde en moi, précieusement. Aujourd'hui, il est un pensionnaire fatigué d'une maison de retraite à Gradignan.

Adolescent dans les années 1960, je ne quittais jamais Pomerol, même durant les grandes vacances. Nous ne possédions pas de résidence secondaire. Les distractions n'étaient pas légion. Bien sûr, il y avait la télévision, qui nous fascinait tous. Les programmes débutaient à 19 heures avec *Laurel et Hardy* ou *Histoires sans paroles*, puis le journal, présenté par Pierre Sabbagh ou Pierre Desgraupes. Ce petit écran a chambardé nos existences : le monde entier se rapprochait de nous. Et les voisins aussi ! Immanquablement, le mercredi soir, ils venaient à la maison regarder *La Piste aux étoiles* de Maritie et Gilbert Carpentier. Mais pas question, pour mon frère et moi, de rester des heures devant le poste : il n'y avait pas d'autres émissions. Tout mon temps libre, je l'occupais avec mon père dans les vignes et le chai. Les années passées sur le tracteur m'ont donné envie d'en connaître davantage. J'ai appris là ce que je sais.

Je ne me suis jamais demandé si je devais faire du vin mon métier. Pas plus que mes parents et mes grands-parents, d'ailleurs. Chaque jour, je voyais mon père travailler dans les vignes et le chai. Je savais que mon tour arriverait bientôt. Devant mes faibles résultats à l'école, un professeur perspicace répétait qu'un enseignement manuel serait plus judicieux : « Au moins, il aura ça ! » Fort heureusement, mon père n'eut pas besoin de mes services ; il m'a laissé poursuivre ce qu'on appelait alors des « voies de garage » : du collège au lycée agricole (qui ne délivrait pas de baccalauréat permettant d'entrer en faculté), puis du lycée à l'école de viticulture de La Tour-Blanche[1]. Ce petit établissement semblait perdu dans les vignes. Des pensionnaires « en fin de parcours » venaient y consolider leurs connaissances viticoles. Je me souviens de cette rentrée de septembre 1966 ; quand la rivière du Ciron avait fini de distiller son brouillard providentiel, la lumière recouvrait d'or les collines. Je revois aussi notre assemblée de garçons gauches ; cinq venaient du même lycée agricole – L'Oisellerie –, quatre finiraient œnologues. Dans cette fondation Ulysse-Gayon, nous partagions une même déception : une seule fille avait été admise externe. Si le bâtiment affichait une sobriété moderne, les chais demeuraient traditionnels.

La Tour-Blanche restera, pour moi, définitivement associée à la personnalité du directeur Jean-Pierre Navarre. Un de ces grands bavards : trop de mots parce que trop de cœur. Dynamique, sans concession, et surtout visionnaire, il avait eu cette idée géniale – bien avant que les BTS ne soient créés – de faire accepter les élèves les plus prometteurs à l'université d'œnologie de Bordeaux. Sans

---

1 « Créée en 1911, l'école du château de La Tour-Blanche était l'une des premières à enseigner l'art de l'œnologie. En 1911, les pensionnaires sont pour la plupart fils de vignerons. Une dizaine d'élèves qui, de mars à septembre, suivent les cours de deux professeurs : l'un de viticulture, l'autre d'œnologie. Depuis des siècles, les connaissances viticoles se transmettent de génération en génération. Mais au début du XIXᵉ, on prend conscience que les jeunes manquent de connaissances par rapport aux grandes avancées faites dans ce domaine. La découverte des micro-organismes, des levures, marque, par exemple, le début de l'œnologie. Daniel Osiris Iffla, propriétaire du domaine de La Tour-Blanche, s'intéresse de près à ces avancées scientifiques. À sa mort en 1907, il lègue le château à l'État à la condition que celui-ci y crée une école d'enseignement "pratique, populaire et gratuit". Pour le directeur actuel, Alex Barrau, l'idée d'un tel enseignement était à l'époque "révolutionnaire". L'école prend, au fil des années, différents statuts, jusqu'en 1960 où elle devient lycée agricole. » Source : « Cent ans d'enseignement 1ᵉʳ cru à la Tour-Blanche », journal *Sud-Ouest* du 1ᵉʳ septembre 2011.

son enseignement, ma vie eût été différente. Je n'avais pas vingt ans, mais j'avais déjà compris que l'érudition, aussi pointue fût-elle, se révélait souvent impuissante face à ce qu'on ne comprenait pas. À La Tour-Blanche était dispensée une instruction pratique ; les professeurs ne pouvaient pas se confondre avec ceux du Collège de France, ces « pédants d'encre pale »[1] qui admonestaient du haut de leur chaire. Les élèves ne s'en plaignaient pas, bien au contraire. Toute une cohorte d'enseignants droits, campés, gascons, martelant de mêmes valeurs. Une ferveur qui ne s'oublie pas.

En mai 1968, sur les bancs de la faculté de Bordeaux, j'ai rencontré celle qui allait devenir ma femme et la mère de mes deux filles, Dany Bleynie, originaire du Périgord. Elle était en première année de médecine mais n'avait pu passer son examen en raison des doux événements qui agitaient le pays. Refusant le désœuvrement, elle choisit de suivre des cours d'œnologie et finira major de la promotion 1970. Pour ma part, je restais convaincu qu'il n'était pas l'heure de se distinguer. Toujours « en garder sous la pédale ». En juillet 1970, quelque temps après la célébration de notre mariage, nous partions en Languedoc ; l'institut d'œnologie offrait des opportunités de stage. Mon épouse travaillait dans la campagne du château Cicéron appartenant au célèbre négociant en vin à Paris, Nicolas, et moi au conseil interprofessionnel des appellations Fitou, Corbières, Minervois. Mon sujet de mémoire : « Essais d'irrigation sur les vignes ». La visée de cette technique était d'obtenir la plus grande production et d'accroître la quantité de sucre à l'hectare. Cette méthode ruinait considérablement la qualité des vins. Petite ironie de la vie,

---

1 Expression de Gustave Flaubert.

j'étudiais ce que je ne cesserai de combattre : la médiocrité. Il est vrai qu'à l'époque, la coutume était d'acheter le vin au degré : plus il y avait d'alcool, plus on vendait cher. Une hérésie.

Après mes trois années d'études, je me sentais ignorant ; quarante ans plus tard, je mesure que je l'étais plus encore. Si aujourd'hui le niveau des enseignements est nettement supérieur, le constat reste inchangé : celui qui est persuadé savoir doit rester à l'université ! L'Irlandais George Bernard Shaw n'avait pas tort lorsqu'il écrivait : « Celui qui peut, agit. Celui qui ne peut pas, enseigne[1] ». Le terrain nous confronte continûment à des cas jamais envisagés dans les amphithéâtres. Comprendre – j'en avais l'intuition –, c'était estimer, vérifier, prévoir, porter sur toute chose un diagnostic. Je voulais que tous les défauts du vin me deviennent intelligibles. Bien sûr, quelques grandes figures avaient fait progresser l'œnologie, portée depuis peu au statut de science majeure par Jean Ribéreau-Gayon et Émile Peynaud. Il faut reconnaître à Pasteur, à la différence de Chaptal[2], d'avoir tout inventé en matière de microbiologie dans le vin quand il a mis en évidence deux fermentations : levurienne (transformation du sucre en alcool) et bactérienne (dont on saura plus tard qu'elle est la transformation de l'acide malique en acide lactique). La preuve était faite qu'il n'existait pas de génération spontanée. Certains de ces micro-organismes, nécessaires dans le processus de vinification, pouvaient entraîner des déviations, aux doux noms de « graisse », de « tourne »…

---

1 Extrait de *Maximes pour révolutionnaires*.
2 Il a mis au point cette procédure, appelée depuis « chaptalisation », qui consiste à ajouter du sucre pendant la fermentation pour augmenter le degré alcoolique. Aujourd'hui, elle est rendue en partie obsolète par le travail effectué en amont sur le vignoble.

Après nos stages sans encombre, retour dans le Bordelais. Ma femme trouva un emploi chez Cordier et moi aux établissements Niaud à Cézac. J'étais l'œnologue de cette maison grande productrice de vins blancs plutôt bas de gamme. Je procédais à des analyses, testais de nouvelles techniques. On avait alors pour habitude de traiter au ferrocyanure de potassium afin d'éviter la casse ferrique[1], qui rendait le vin laiteux. Ce traitement devait être obligatoirement dispensé par un œnologue. Il est à préciser que le métier ne jouissait d'aucun prestige. On était les enfants pauvres de la faculté. J'ai souvent senti le regard condescendant, pour ne pas dire méprisant, de certains de mes congénères lorsqu'ils déclaraient avec morgue : « Moi, je fais mé-de-ci-ne. » En somme, l'œnologue était celui qui n'avait pas réussi, condamné à répéter les mêmes gestes. Je me suis fait alors la promesse de donner de plus vastes ambitions à la profession. À l'immobilisme nous devons nos plus ruineuses erreurs. « Chaque génération se croit vouée à refaire le monde[2] », moi j'avais à cœur de changer celui de l'œnologie. Je me répétais que cela devait être possible.

À cette époque, l'université ne s'intéressait qu'aux grands châteaux, à quelques noms légendaires. Les professeurs patentés se rendaient souvent à Margaux, à Lafite, mais jamais dans les petits terroirs. Les propriétés sans renom étaient ignorées. Le premier qui ait donné ses lettres de noblesse à quelques crus plus modestes fut Pascal Ribéreau-Gayon. Je me souviens de son agacement : « On fait tellement de grands vins, l'ennui, c'est que c'est

---

1 L'expression désigne l'oxydation des ions ferreux stables en ions ferriques instables.
2 Albert Camus, Discours de remise du prix Nobel de littérature, Stockholm, Suède, 1957.

toujours chez les autres ! » S'il m'impressionnait, ce n'était pas en vertu de ses lauriers universitaires mais parce que, dans sa bouche, la connaissance perdait son caractère austère et devenait enfin vivante. Point de fatuité chez lui. Pas plus que chez Émile Peynaud, sans doute mon mentor. Une « conscience éveillante », comme disent les gens délicats.

Il me faut rendre hommage à Émile Peynaud. Nous lui devons tant. On sortait de ses cours l'esprit nourri et fortifié. L'envie de comprendre, voilà ce qu'il nous communiquait avec son accent prononcé du Sud-Ouest. Un de ces érudits qui préfèrent clarifier que conceptualiser et qui gardent jusqu'à la fin une limpidité dans le discours. Découvert et amené aux études par Jean Ribéreau-Gayon, il avait commencé comme employé de chai dans la maison de négoce Calvet. Il soutint sa thèse de doctorat en 1946 et écrivit deux ouvrages de référence : l'un sur la vinification, *Connaissance et travail du vin*, l'autre sur la dégustation, *Le Goût du vin*. À ses yeux, la dégustation était essentiellement référentielle. Il nous conviait à poser des mots simples sur chacun de nos ressentis, à établir des correspondances. Nous devions analyser nos sensations, qu'elles soient visuelles, olfactives ou encore aromatiques. Il décrivait les siennes avec précision et poésie. À la faveur de l'émission *Apostrophes*[1], son sens de la métaphore séduisit quelques fins esprits lettrés : « Ce vin sent la poutre... » Mais sur le plateau, personne ne comprit, à l'exception d'Alexis Lichine[2], qu'il évoquait une odeur de

---

1 *Apostrophes* était une émission littéraire, créée et animée par Bernard Pivot et diffusée chaque vendredi soir sur Antenne 2 entre 1975 et 1990.
2 Né à Moscou en 1913, il a travaillé dans le commerce du vin à Paris puis aux États-Unis, avant de prendre en 1949 la direction d'un domaine fameux en Bourgogne, puis d'acquérir, avec un groupe d'Américains, le château Prieuré-Lichine – géré après sa disparition en 1989 par son fils Sacha –, et ensuite le château Lascombes. Il est l'auteur de plusieurs livres consacrés au vin.

vieux bois et de poussière présente dans les chais. On aurait dit que la vie lui insufflait ses mots, toujours charnels, incarnés, musclés. Il savait que le vin appelle des réponses complices. D'ailleurs, il déclarait souvent : « La dégustation, c'est la rencontre de l'humain et du vin. » Rares sont les professeurs qui se mettent courtoisement à la portée de leur public. « Les bons sens du goût et de l'odorat sont les choses les mieux partagées », glissait-il malicieusement à la fin de ses cours. Il siège maintenant dans ma bibliothèque. Il n'aura pas de litige, j'en suis sûr, avec la postérité.

Il convient également de rappeler que dans les années 1960, la recherche se concentrait sur la chimie du vin et l'étude des phénomènes de fermentation, la structure des tanins, les combinaisons de soufre. Elle ne pouvait conséquemment faire progresser le terrain. On s'intéressait au travail dans le chai, jamais à celui mené dans les vignobles. On flottait dans l'empirisme. Si on a tout découvert entre 1970 et 1990, c'est tout simplement parce qu'auparavant, on ne savait rien ou presque. Quand j'ai passé mon diplôme, la microbiologie n'était même pas enseignée, alors qu'aujourd'hui elle constitue une discipline majeure. De curative et palliative, l'œnologie deviendrait préventive et qualitative.

Mon histoire familiale et professionnelle est amarrée à ce lieu mythique qu'est devenu Pomerol. Un paysage aujourd'hui différent et pourtant inchangé, comme si la modernité aimait à hésiter. Je n'ai jamais entretenu une idéalisation du passé ; la fidélité à ses terres ne signifie pas qu'on doit se crucifier dessus ! On peut revendiquer ses racines et se savoir l'homme des départs, se souvenir des harmonies d'antan et refuser la sédentarité. C'est ainsi que j'ai vu, toujours à Pomerol, s'ouvrir les portes de l'aventure…

CHAPITRE II

Le vin en révolutions…

1973-2001

« S'il s'était trouvé que les vérités géométriques
pussent gêner les hommes, il y a longtemps
qu'on les aurait trouvées fausses. »
Stuart Mill

Quand j'étais jeune, je n'avais pas plus d'imagination
que mes aînés. Je constatais qu'il y avait les bonnes et les
mauvaises années. On était fataliste et ignorant par habitude. On s'obstinait à ne pas comprendre et on s'enferrait
dans des arguties cauteleuses. La conduite rigide dans les
vignobles et les procédures de vinification amplifiaient
encore les problèmes. Pendant plus de vingt-cinq ans, j'ai
vu les employés accomplir de mêmes gestes, quelles que
soient les circonstances. Dans les années 1960, on se pré-
occupait davantage de production que de qualité. Et si qualité il y avait, il fallait remercier Dame Nature ou tourner
ses paumes vers le ciel. Les millésimes 1963, 1965, 1968
et 1969 furent misérables. Contrairement à ce que l'on a
répété longtemps, cette médiocrité n'était pas strictement
liée aux conditions climatiques, certes peu favorables, mais
aux comportements des viticulteurs et des propriétaires
animés par la seule volonté d'accroître les rendements.

Si on avait organisé une verticale des millésimes de 1900 à 1970, on en aurait distingué cinq très bons, dix convenables, et cinquante-cinq sans intérêt. Je m'interrogeais : pour quelles raisons les vins issus des grands terroirs se démarquaient-ils, alors que dans les chais on n'appliquait pas de méthode particulière ? La réponse était simple : sols moins fertiles, grande capacité de drainage de l'eau, et donc fruits plus sains. La production se régulait d'elle-même, en dépit de toute forme d'adversité. De cette constatation naîtraient de nouvelles procédures. La réflexion suppléerait aux insuffisances de la nature... La modernité entrouvrait la porte.

Mon destin eût été de faire du vin exclusivement dans le Libournais. Mais, au sortir de l'université, je rêvais d'ailleurs, je souhaitais connaître d'autres vignobles, en France comme à l'étranger. Plus que tout, je voulais comprendre ce que je buvais. Quand j'étais convié dans les dîners chics, j'entendais toujours les mêmes litanies : « Ces bouteilles ont dû être magnifiques » ou « Elles vont devenir exceptionnelles ». En somme, pour apprécier les vins, il fallait les imaginer ou les attendre. La bêtise, sœur de l'ignorance, est bavarde... Les esprits les plus fins se persuadaient que la chance donnait les meilleures cuvées, les plus lucides que les grands millésimes restaient des énigmes. Je n'avais pas tempérament à partager ce genre d'inepties. À l'âge que l'on dit de raison, je constatais que le monde du vin en manquait cruellement. D'autres questions me turlupinaient. Pourquoi se complaire dans la facilité et les explications à la petite sueur ? Comment tolérer plus longtemps ces arrangements avec la qualité ? Les réponses, à ce moment-là, étaient encore muettes, mais la vie nous les formulerait, plus tard, précisément.

Mon histoire débute véritablement aux vendanges 1973. Se profilait une grosse production, mais aucune infrastructure n'était adaptée à la vinification : les chais restaient sales, les cuves et les barriques hors d'âge. Les choses ne pouvaient pas aller plus médiocrement. Une triste réalité qui ne semblait pourtant indigner personne. Le millésime 1972, encore dans les fûts, était franchement mauvais à cause d'une saison froide et d'un volume important. En dépit de vendanges tardives, les raisins n'avaient pas atteint la maturité. On obtint logiquement des vins sans charme et sans couleur, maigres, courts et acides. Pourtant, ce fut une des années les plus folles de Bordeaux : les prix ne cessèrent de monter en raison de l'ouverture du marché américain. Nous allions manquer de vin, alors le négoce achetait inconsidérément.

Conséquence prévisible, les prix des différentes appellations furent multipliés par quatre ou cinq. Mais, selon la vieille expression, les arbres ne montant jamais au ciel, il a fallu descendre de notre olympe. Au printemps 1973, le marché s'est effondré, puis est devenu totalement atone. Il aurait presque fallu payer pour se débarrasser de nos stocks.

Cette même année, la capitale aquitaine, corsetée dans ses bienséances, fut gravement entachée par « l'affaire des vins de Bordeaux ». L'appât du gain avait incité des esprits malins à organiser un trafic d'appellations : des simples vins de table, issus d'autres vignobles, arrivaient sur la place[1] de Bordeaux où les prix flambaient. Des camions-citernes en provenance du Midi transitaient par Bordeaux avant de rejoindre Paris. Sur la nationale 10, des titres de mouvement s'échangeaient furtivement et

---

1 L'expression désigne le regroupement des négociants bordelais qui achètent le vin aux propriétaires, le plus souvent en primeur, et qu'ils revendent aux distributeurs.

les vins sortaient annoblis en bordeaux[1]. Par de simples jeux d'écriture, on décuplait la mise. Comme le constatait déjà en 1896 Albert Donnet, vigneron médocain : « La solidarité réunit les coquins ! » L'été 1973, les tractations commerciales s'arrêtèrent brutalement. Heureux ceux qui avaient trouvé acheteurs. Les autres se contenteraient de garder gentiment les bouteilles dans leurs chais.

L'été pluvieux de 1973 donna une récolte abondante. À la veille des vendanges, il n'y avait plus d'affaires. Les négociants prenaient leur revanche sur les prix délirants du début de campagne. Toute la profession était sur les dents. L'année précédente, Dany et moi avions gagné un rallye automobile, organisé par l'association des anciens élèves de l'institut d'œnologie de Bordeaux. Traditionnellement, le vainqueur organisait le suivant. Participaient à cette nouvelle édition monsieur et madame Chevrier, propriétaires d'un laboratoire d'analyses viticoles à Libourne dont mon père était client. Jean Chevrier, qui avait débuté son activité en 1952, songeait sérieusement à sa retraite et recherchait un couple d'œnologues pour prendre à terme sa succession. Un mois et demi après le rallye qui nous avait permis de faire connaissance, le 1er septembre 1973, nous étions associés.

La vie à deux est plus agréable, même dans le travail. Dany et moi ignorions tout du *consulting* quand nous avons repris le laboratoire de Jean Chevrier. Celui-ci avait gagné la confiance de nombreux viticulteurs par sa capacité à expliquer avec force détails les phénomènes entourant le vin. En ce temps-là, seul Émile Peynaud venait

---

1 « Il est de notoriété publique que, durant la période des vendanges, un curieux mélange de camions-citernes se fait dans la région de Bordeaux. » Témoignage cité par Claude Fischler, *Du vin*, Éditions Odile Jacob.

distribuer la bonne parole dans quelques domaines prestigieux. Les œnologues, on les cantonnait gentiment à leurs pipettes ; on les considérait comme des alchimistes mais certainement pas comme des hommes de terrain. C'est pourquoi je fus surpris quand André Vergriette, nouveau directeur du château Dassault, me demanda de me rendre sur place. Il avait compris qu'on pouvait intervenir tant dans les vignes que dans le chai. Géniale intuition de cet homme qui n'appartenait pas au monde du vin. Ce fut ma première prestation de conseil et ce sera la plus longue de ma carrière : trente-cinq ans. Aujourd'hui, je suis secondé au château Dassault par Jean-Philippe Faure, un talentueux collaborateur.

Fraîchement sortis de l'université, Dany et moi voulions tout révolutionner. Quelques années plus tard, nous allions mener de front le laboratoire, les conseils et les propriétés. Sans cette complémentarité, aucun de nos projets n'aurait abouti. Il fallait être deux pour réussir. Aujourd'hui encore, nous sommes associés.

Dans l'enceinte du laboratoire, une nouvelle vie commençait. On y rencontrait des propriétaires qui, en matière de vin et de vinification, ne connaissaient rien ou presque. Et il faut avouer que je n'en savais guère plus. L'ignorance, au moins, nous partagions ça ! Le plus facile, c'était de communiquer les chiffres d'analyse, même si les valeurs données par nos appareils n'indiquaient pas grand-chose. On tenait là un sujet de conversation.

Septembre 1973 s'annonçait tout aussi maussade : l'abondance de la récolte n'avait pas permis une maturité satisfaisante. Personne ne parlait alors d'effeuillage ni de « vendanges en vert ». C'eût été un crime de lèse-majesté que de faire tomber des raisins. On continuait de vendanger avec des bastes, récipients en bois de soixante-dix litres. Les adeptes de la modernité étaient passés aux tombereaux, avec des vis sans fin acérées qui trituraient considérablement les fruits. Les raisins, acheminés dans un égrappoir métallique tout aussi délétère, puis éraflés et foulés, étaient envoyés par pompage dans des tuyaux de petit diamètre, sur de longues distances jusqu'aux cuves de vinification. Ensuite, on attendait religieusement la fermentation et on analysait le degré alcoolique potentiel. Les résultats se révélaient aussi peu fiables que les échantillons. Il incombait alors à l'œnologue de déterminer la quantité de sucre qu'il fallait ajouter pour terminer avec un degré alcoolique correct: 12,5 restait le nombre magique.

L'année 1973 fut riche en enseignements. Certaines cuves recevaient deux fois la dose de sucre autorisée par la loi et achevaient pourtant la fermentation avec un faible degré d'alcool. Durant des mois, la pluie n'avait quasiment pas laissé voir le soleil. Les sols, gorgés d'eau par de lourdes ondées, avaient rendu les baies volumineuses. Celles-ci donnèrent un jus de faible teneur en sucre. Comme la RMN[1] n'existait pas encore pour détecter la chaptalisation, les viticulteurs, y compris ceux qui ne rataient pas une messe le dimanche, agissaient en dépit du bon sens et au mépris des lois. La présence excessive d'eau avait également entraîné une déficience chronique des composés phénoliques dans les pellicules de raisin, et une acidité faible. Toutes les conditions étaient réunies pour obtenir des vins anémiés, dilués; certains – sans être bons – étaient meilleurs que d'autres. Un constat immuable. Le terroir, nous y reviendrons, parlait déjà, mais on en parlait moins...

---

1 Résonance magnétique nucléaire.

Autre catastrophe pour ce médiocre millésime : les infrastructures inadaptées ne pouvaient contenir l'importante récolte. Les producteurs étaient alors contraints d'écouler. La pratique consistait à séparer le jus des parties solides pour remplir de nouveau les cuves avec de la vendange fraîche. J'ai vu ainsi des cuves utilisées jusqu'à cinq ou six fois en un seul mois de vendange, avec des cuvaisons moyennes de cinq à six jours ! Il faut savoir qu'en conditions normales, on peut laisser macérer entre dix-huit et vingt-cinq jours. On comprend que le résultat ne pouvait qu'être désastreux, et il le fut.

Seule parenthèse enchantée dans cette morosité ambiante, la naissance de notre fille, Stéphanie, au mois de novembre. Mais sur le plan œnologique, les ennuis perduraient avec des écoulages[1] précoces et le stockage des vins nouveaux dans des conditions précaires. La dégradation des sucres par les levures s'arrêtait tandis que la fermentation malolactique[2], phénomène bactérien, commençait. Les bactéries s'attaquaient au glucose et au fructose et formaient de l'acide acétique. C'est la caractéristique du vinaigre ! Imaginez quel fut notre plaisir en goûtant ces vins aigres-doux !

L'année s'acheva dans la fatigue ; nous dispensions toutes sortes de conseils aux propriétaires dépités, en sus des analyses et de l'intendance journalière. Beaucoup de ceux qui apportaient leurs échantillons au laboratoire vendaient en vrac. La mise en bouteilles au château était alors moins répandue.

---

1 Fin de la fermentation alcoolique.
2 La fermentation malolactique désigne la dégradation biologique de l'acide malique en acide lactique, sous l'action de bactéries lactiques. Elle permet de diminuer l'acidité du vin : l'acide malique est transformé en acide lactique.

Début de l'année 1974, aucune tractation commerciale. Personne ne donnait d'ordre, personne ne vendait. Les chais regorgeaient de mauvais vins. Le laboratoire, en dehors de la période des vendanges, travaillait avec le négoce de la place de Libourne, majoritairement représenté par les Corréziens, négociants-éleveurs qui vendaient leur production dans le nord de la France et en Belgique, expédiant le plus souvent les produits en barriques par le train. Les clients procédaient eux-mêmes à la mise en bouteilles. C'était l'époque des « barricailleurs », une activité aujourd'hui disparue. Les contrôles et analyses de leurs vins suffisaient à faire fonctionner notre petite structure.

Au mois de juillet 1974, j'ai eu la lumineuse idée d'acheter une Méhari, voiture sympathique et économique. Grand mal m'en prit : ce furent mes vendanges les plus froides et les plus arrosées ! De toute part, la Méhari prenait l'eau, qui s'écoulait allègrement dans mes chaussures. J'optai alors pour un achat plus intelligent : des bottes.

Plus les mois passaient, plus l'atmosphère se détériorait. Les ressources déjà indigentes de la plupart des domaines viticoles étaient pratiquement épuisées. La nouvelle récolte s'annonçait belle mais l'année serait encore froide. En ce temps-là, on ne devisait pas sur le réchauffement de la planète ! L'été fut triste, tant sur le plan climatique qu'économique. À l'approche des vendanges, on négociait à des prix indécents afin de libérer les cuves.

Que dire de la relation entre propriétaires et négociants ? Elle évolue, au gré des années et des individus, entre courtisanerie et dépit amoureux. Ceux-là ne se détestent point : les premiers se demandent régulièrement s'ils ne vont pas conduire au bûcher les seconds, lesquels attendent gaillardement de les plonger dans l'indigence. Entre-temps, on s'embrasse, on fréquente les mêmes boutiques, les mêmes golfs et les mêmes lieux de villégiature. Le bassin d'Arcachon surtout, un terrain de jeux pour vieux enfants. On s'amuse tout en s'épiant.

Encore un millésime délicat, pour ne pas dire mauvais. Il pleuvait tellement que les raisins ne portaient plus de levures et les fermentations ne démarraient pas. C'était novembre avant l'heure. Les saisons n'avaient plus de sens. Je me souviens d'un de mes clients, producteur de blanc dans l'Entre-deux-Mers. Ayant procédé au débourbage[1] de son sauvignon blanc, il me demanda s'il pouvait soutirer[2] de nouveau. Avant cette opération, on ne traitait qu'à la bentonite[3]. Ne sachant que lui conseiller, j'ai répondu « oui ». Erreur de jeunesse : le moût, stocké dans une cuve en ciment, était clair comme de l'eau de roche, et toujours pas de fermentation ! Le froid s'intensifiait. Et à cause de cette clarification excessive, on déplorait toujours l'absence de levures. Je vérifiais consciencieusement avec un antique microscope. J'ai recommandé alors au propriétaire de sulfiter une fois encore... Nouvelle analyse : le pH ne dépassait pas 3[4], le soufre se révélait très efficace.

Mi-décembre, on discernait quelques pétillements ; le vin était à 8 °C de température tandis que la quantité de sucre baissait à peine. En juillet 1975, il terminait sa

---

1 Opération qui consiste à débarrasser le moût des impuretés diverses en suspension avant la mise en fermentation.
2 Le soutirage a pour visée de séparer le vin clair de la lie qui se dépose au fond des tonneaux ou des cuves.
3 Une argile (silicate d'aluminium hydraté, composé principalement de montmorillonite).
4 On désigne par pH le potentiel en ions hydrogènes qui exprime l'acidité en tenant compte de la force des acides (forts et faibles).

fermentation ; le propriétaire pouvait procéder enfin à la mise en bouteilles. Pendant vingt ans, il m'a répété : « C'est le meilleur vin blanc que nous ayons jamais fait ! » Les conditions ne se sont pas représentées depuis et je n'ai jamais osé renouveler l'expérience. Il n'en est pas moins vrai que les plus grands vins sont nés d'heureuses anomalies, comme le champagne et le sauternes. Le premier, élaboré par les moines, dont le très fameux dom Pérignon, cellérier de l'abbaye de Hautvilliers, avait refermenté par inadvertance. La présence du gaz carbonique rendait le breuvage plus festif en l'agrémentant de fines bulles « dansantes ». On avait découvert accidentellement un nouveau processus qu'on apprendrait à domestiquer. Quant au sauternes, la légende raconte que le propriétaire d'un prestigieux domaine, davantage préoccupé par son tableau de chasse que par ses vignes, avait constaté au retour d'une de ses expéditions que tous les raisins étaient pourris noblement. Il les vendangea tout de même et obtint ce vin liquoreux inégalable, tant le champignon, appelé *Botrytis cinerea*, avait favorisé le développement d'arômes complexes.

Un événement heureux en 1974 : l'arrivée dans la maison d'une stagiaire au dévouement et à la rigueur rares. Aujourd'hui, Viviane Costas est responsable du laboratoire et de toutes les équipes. Dany et moi étions parvenus en outre à rembourser la somme prêtée par mes parents et avions acquis 50 % des parts du laboratoire Chevrier. Une étape importante dans notre parcours. Les fêtes de fin d'année approchaient, mais l'atmosphère restait cafardeuse dans le milieu viticole. J'envisageais sérieusement d'arrêter mon activité et de tenter ma chance ailleurs.

Puis le printemps 1975, magnifique, devint promesse d'une belle récolte. L'été ne fut pas décevant non plus. On allait pouvoir enfin profiter des mois de juillet et août, périodes habituellement peu agitées en viticulture. Le moral revenait peu à peu dans les chaumières. Les vendanges furent précoces, mais après trois années de misère, tout le monde se hâtait de rentrer les raisins. Pourtant, ces vins, qui s'annonçaient grands, avaient été vendangés trop tôt. Leurs tanins restaient fermes et austères. On répétait à loisir, comme pour mieux s'en convaincre, la sacro-sainte formule bordelaise : « Ils vont s'ouvrir ! » Pour quelques-uns, ce fut vrai. Mais, pour la majorité, on attend encore...

L'inquiétude devenait plus légère. Il n'était plus question de changer de profession. Nous continuerions à être œnologues sur la rive droite. En 1975, on commençait à parler des enzymes, qui allaient révolutionner l'œnologie. Sans doute la découverte la plus importante des dernières années en matière d'adjuvants. Ce traitement, non plus endommageant, permettait d'aider considérablement la clarification du vin. Depuis 1973, s'était amplement développée la mise en bouteilles à la propriété, peu pratiquée auparavant. La plupart des châteaux ne disposaient pas de lieux adaptés au stockage des vins. Une bénédiction pour les laboratoires : désormais, en sus de l'augmentation des analyses courantes, notre rôle était d'identifier les problèmes et de trouver des solutions. Mais on ne savait ni stabiliser les vins ni éviter les précipitations. La microbiologie n'était pas encore née : les levures et les bactéries s'en donnaient à cœur joie. Les bâtiments, insuffisamment protégés ou isolés, favorisaient durant l'hiver l'apparition de bitartrate de potassium, petits cristaux blancs ressemblant à du sucre.

Doucement, nous apprenions notre métier et commencions à donner des consignes aux propriétaires. La plupart étaient convaincus que le seul savoir était celui transmis de père en fils. Tout était inscrit sur le parchemin de sa généalogie. On apprenait à vinifier dès le berceau : « Ton père était vinificateur, tu le seras aussi. Il pensait bien, tu penseras comme lui... » Cette transmission génétique suffisait à les persuader qu'il n'existait pas d'autre façon de faire du vin. Pour un peu, certains auraient glorifié un apprentissage *in utero* ! C'est pourquoi le métier d'œnologue était méconnu, voire ignoré. J'en veux pour preuve la mésaventure cocasse qui m'arriva cette même année, alors que j'effectuais une visite de routine dans un château à Fronsac, qui n'avait qu'une cuve. La propriétaire s'était passionnée pour la vinification et avait décidé de s'en occuper seule. Voici comment l'employée de maison annonça mon arrivée au mari de ma cliente qui m'attendait dans le salon d'une belle chartreuse : « Monsieur, le gynécologue de Madame est là. » Rires.

En 1976, les Chevrier prirent leur retraite. Nous avons alors acquis la totalité des parts de la société, recruté une laborantine et deux œnologues supplémentaires. Cette prise de risques impliquait de maintenir une activité intense pour rembourser les prêts, d'autant que la concurrence se faisait rude : on dénombrait déjà trois laboratoires à Libourne et trois autres de la chambre d'agriculture disséminés en Gironde.

Après les mois caniculaires de juillet et août, les vendanges excessivement précoces débutèrent vers le 10 septembre. Les raisins, petits mais très concentrés, donnèrent des premiers jus superbes. Malheureusement, après le début de la récolte qui s'annonçait grandiose, la pluie vint gâcher la fête. Un temps chaud et humide s'installa. Avec des températures avoisinant les 30 °C et un taux d'humidité de 90 %, ce fut une explosion généralisée de *Botrytis*. En quelques jours, les beaux raisins avaient perdu leur lustre. Il fallait au plus vite vinifier les fruits qui pouvaient être sauvés. Un véritable cauchemar. Personne ne savait comment agir : la polyphénol-oxydase étendait ses ravages, ruinait complètement la couleur et la qualité. On obtenait des vins marron à l'écoulage, au goût fortement phénolé.

Ce que j'avais cru être ma dernière heure fut un baptême du feu. Le laboratoire ne désemplissait pas, les clients faisaient la queue jusque sur le trottoir. Nous recevions près de mille échantillons par jour ! Et nous n'avions ni ordinateur, ni Internet, ni fax : juste une ligne de téléphone continûment occupée. Une situation dantesque : on devait passer de longues heures à saisir et restituer les résultats d'analyse, en les recopiant patiemment à la main sur un cahier. J'examinais les vins pour détecter la présence potentielle de casse oxydasique[1]. Pour quelques privilégiés, je me rendais déjà en propriété afin de prélever sur place des échantillons. Cette année-là, une idée ingénieuse s'était imposée : on avait transposé au vin la technique d'analyse de « flux continu » connue dans le domaine médical. Par l'utilisation de cet analyseur automatique, on n'avait plus à recourir aux déterminations manuelles, peu fiables, longues et fastidieuses. Or, avec près d'un millier d'échantillons par jour, les sources d'erreurs se révélaient importantes. Je dormais quatre heures, pour communiquer au matin les résultats aux propriétaires. Quant à Dany, elle passait la nuit à procéder aux dernières vérifications.

L'analyse automatique a été considérée à juste titre comme une révolution dans l'œnologie. Avec Marc

---

1 La casse oxydasique est générée par la laccase, enzyme oxydante abondante dans les raisins contaminés par *Botrytis cinerea*.

Dubernet à Narbonne, nous fûmes les premiers à nous intéresser sérieusement à ces drôles de machines. Des heures et des heures à les mettre au point. Je me souviens qu'après mes visites, tard dans la soirée, notre laborantine Viviane me faisait part des problèmes. Ils étaient légion. Quand je ne pouvais les résoudre, nous étions contraints de retourner aux analyses manuelles, comme au bon vieux temps. Et ce jusqu'à l'aube. Une heure de sommeil, douche, café et, à 8 h 30, on ouvrait le laboratoire... Une vingtaine de personnes s'étaient déjà agglutinées devant les portes, certaines se chamaillaient pour passer les premières. On s'en amusait, comme on s'amuse de voir des scènes se répéter avec de mêmes personnages.

Les vendanges que l'on avait envisagées sereines finirent, une nouvelle fois, dans la tourmente. Pour les viticulteurs, la vie n'est jamais un long fleuve tranquille. Un soir, à bout de forces, ayant délivré plus de cent bulletins d'analyses en quelques heures, je communiquai à un client ses résultats. Aucune anomalie à lui signaler : quand un problème était décelé, le laboratoire me le signifiait sur le cahier. Mais une heure après son départ, le téléphone sonnait. Ce même propriétaire s'enquérait : « Avez-vous vraiment regardé mes échantillons ? » Je lui répondis honnêtement : « Non, mais je vais les examiner de ce pas. » Ma stupéfaction fut grande quand je découvris les trois bouteilles d'un jaune sale : la casse oxydasique avait totalement détérioré la couleur du vin. Tout penaud, je présentai mes excuses à mon client, en le priant de revenir le lendemain à la première heure. Il a eu la gentillesse de ne pas consulter un autre laboratoire. Autrefois, on ne procédait pas à des sélections de vendanges ; on s'empressait de remplir les premières cuves sans se soucier de l'état des raisins. Nombre de viticulteurs arrivaient, triomphants, au laboratoire : « Nous l'avons échappé belle ! Nous aurions pu faire un mauvais millésime ! » Autre temps, autres mœurs, mais toujours ce même entêtement dans la routine aveugle...

1977 ne nous serait pas favorable. Le débourrement[1] fut précoce, à la fin mars. Comme disait mon grand-père : « Le vin de mars, ou il est génial ou il n'y en a pas. » Le brave homme n'avait pas tort. Le 10 avril, un lundi de Pâques, une gelée matinale, suivie de précipitations neigeuses, ruinait le millésime. L'été fut gris et pluvieux. Une année maudite jusqu'au bout. Grosse dépression au laboratoire : après la demande pléthorique d'analyses et les nuits blanches de 1976, la disette. Nous ne disposions que de petits volumes. Notre propriété, toujours gérée par mon père, était équipée d'un grand et d'un petit cuvier. Je me souviens qu'on a terminé les vendanges sans même ouvrir le grand chai de fermentation ! J'imaginais des solutions. Il nous fallait bien survivre. N'ayant pas les compétences pour me recycler dans les analyses médicales, je m'intéressai à la complexion des sols. Aucun laboratoire n'effectuait alors de telles recherches. Depuis, celles-ci sont devenues incontournables pour mesurer l'acidité, la présence d'éléments comme l'azote, la potasse ou l'acide phosphorique, quelques oligo-éléments et la granulométrie. Nous ne les avons abandonnées qu'en 1981 pour nous consacrer exclusivement à l'œnologie et au conseil.

1978, un des plus jolis printemps, avec la naissance de notre seconde fille, Marie. Une année paisible. On respirait mieux. Floraison moyenne, été médiocre, vendanges tardives. Encore un volume faible, mais de qua-

---

1 Éclosion des bourgeons de la vigne.

lité satisfaisante. Un millésime ferme à ses débuts, aujourd'hui d'excellente tenue, qu'on boira avec plaisir pendant quelques années.

En 1979, la grosse récolte sur pied avait retardé la maturité des raisins. Mais nous avons connu une arrière-saison de rêve. Après la pénurie, les chais se remplirent de nouveau. Grâce à l'été indien, les vendanges se sont terminées tardivement. Cette fois-ci, au château Le Bon Pasteur, depuis peu sous notre responsabilité, on a dû utiliser le petit et le grand cuvier. Comme il restait encore des grappes et que je voulais des macérations longues, un ami m'a apporté une cuve que nous avons installée dehors. On entrevoyait ce qui allait devenir des évidences en matière de procédures de vinification : vendanges tardives, contrôle des températures, macération longue. Comme toujours, les inventions et les ruptures naissent du télescopage des catastrophes et de l'ingéniosité. Le millésime s'annonçait prometteur.

Nous venions de découvrir, avec curiosité et surtout inquiétude, les premières machines à vendanger. Nous ne soupçonnions pas le désastre qualitatif qu'elles allaient engendrer. À la même période se généralisait une technique, certes pas nouvelle, mais compliquée à réaliser : la macération à chaud. Drôles d'appareils que ces chauffe-eau alimentés au gaz, où circulait le vin qui réchauffait le marc à son retour dans la cuve. Méthode fastidieuse et peu efficace. Toutefois, force était de reconnaître que, pour le millésime 1979, le résultat se révélait probant dans certains cas. Si nous avions maîtrisé les rendements, les jus auraient été superbes. Mais les priorités étaient autres à l'époque. Il y eut de belles réussites, que l'on peut apprécier aujourd'hui encore.

Toujours en 1979, j'achetai pour la première fois des bois de chêne, par l'entremise d'un ami d'enfance, Pierre Darnajou, tonnelier régional, dont la spécialité était de confectionner des barriques en châtaignier destinées aux expéditions de vin du négoce libournais. Après deux ans de séchage, ces bois serviraient à fabriquer des tonneaux pour loger la récolte de 1981. Un lourd investissement financier pour nous. Dans la plupart des chais, on déplorait la présence de barriques vétustes, avec leurs arômes insistants de moisi, de bois champignonné, que certains confondent encore avec ceux du terroir. On ne mesurait pas, en ce temps, la nuisance de l'induction des *Brettanomyces*[1]. Je mobilisais alors toute mon énergie – il fallait bien cela – pour convaincre les propriétaires que les barriques anciennes ne généraient que des défauts. Je préconisais de se débarrasser de ces tonneaux fatigués. À mes débuts, j'ai lutté contre le mauvais bois, voire le « sous-bois », et quelques années plus tard, on fit de moi un adepte forcené du bois neuf. On vit en moi un suppôt du diable parce que j'avais transformé les précieux nectars en « jus de barrique » ! Dans les années 1970, des tonneliers tels Demptos, Nadalié, Sylvain, Darnajou, Berger, puis les Radoux, Seguin Moreau et Taransaud – alors dédiés au cognac –, s'appliquèrent à travailler la qualité des grains, les techniques de séchage et de chauffe, afin de rendre les merrains[2] plus performants.

Parce que la demande augmentait, le bois neuf se développait. Le vin en a besoin pour s'accomplir. Cette innovation m'attirait pourtant les foudres des propriétaires, qui trouvaient un prétexte à ne pas dépenser leurs deniers.

---

1 Levures indésirables responsables de déviations caractéristiques.
2 Bois de chêne débité en planches destinées à la tonnellerie.

Dans ce milieu, les mauvais arguments trouvent toujours carrière facile : « Mon vin ne supporte pas la barrique neuve », entendait-on régulièrement. Mais il supportait manifestement le mauvais goût ! La presse s'empara du phénomène : les journalistes auraient autant de facilité à identifier ce caractère singulier qu'à en parler. Et ils en parleraient fort pour se faire entendre. Toutefois, ils omettraient de signaler dans leurs articles la présence des *Brettanomyces*, bien plus préjudiciable. Il est vrai qu'à l'époque, les analyses ne détectaient pas les éthyls-phénols et autres gaïacols[1].

Ce fut concomitamment le début des essais sur quelques barriques dont les propriétaires me confiaient les échantillons. Au commencement de mon activité, on ne dégustait pas, ou alors seulement sous l'injonction du propriétaire qui avait décelé une anomalie – le plus souvent, celle-ci se révélait grave. Encore une fois, l'œnologie avait pour seule ambition d'éviter les désastres. Mais depuis des années, je m'imposais de goûter les échantillons que je recevais au laboratoire. En ce temps-là, l'ennemi public restait l'acidité volatile[2], maladie « honteuse ». Afin de l'éradiquer, on recommandait depuis une vingtaine d'années l'aseptisation des chais et l'amélioration de la vaisselle vinaire. En 1947, le professeur Émile Peynaud choisit de s'intéresser, dans sa thèse de doctorat, à la fermentation malolactique. Il éleva l'œnologie au rang de science, puis la ramena au terrain. Jusqu'à la fin des années 1960, il s'évertua à montrer l'absolue nécessité d'améliorer les conditions sanitaires.

À propos d'acidité volatile, il me revient une anecdote.

---

1 Molécules odorantes produites par les levures *Brettanomyces* qui, en fonction de leur teneur, donnent une odeur de cuir ou de sueur de cheval.
2 Niveau d'acidité requis par la réglementation.

Un jour, alors que je me demandais où allait le monde, je vis arriver au laboratoire un client à l'œil pétillant de malice agricole. Cet ancien rugbyman, cheveux ras, face carrée, attendait ses résultats. Je lui annonçai : « Ils ne sont pas bons du tout. Vos cuves sont au-delà de la limite autorisée… » Je n'avais pas terminé qu'il était déjà par terre. Malaise. L'armoire à glace avait des vapeurs. On l'a assis péniblement sur une chaise. Je suis allé chercher un bon cognac, qui a redonné de belles couleurs au pauvre homme. Théoriquement, son vin « non loyal et marchand », selon la formule consacrée, se vendrait à la vinaigrerie. Concrètement, c'était la faillite assurée. En sage prédicateur, je lui conseillai néanmoins de prélever des échantillons représentatifs. L'analyse ne détecterait plus la même anomalie. Ses vins ne seraient plus perdus. Et lui resterait debout.

Il faudra attendre les années 1980 pour qu'on se préoccupât de qualité en perfectionnant les techniques de vinification. Si celles-ci étonnaient par leur archaïsme, elles n'en étaient pas pour autant dénuées de bon sens, comme en attestaient les chais Kawinski dans le Médoc, qui utilisaient déjà la gravité[1]. Depuis, nous sommes tous revenus à ce procédé, abandonné un temps à cause de sa difficile mise en œuvre. Le château Pontet-Canet a recréé ce système en le modernisant. D'autres installations fonctionnent aujourd'hui sur le même principe.

Dans les années 1970, les fins de saisons étaient si mauvaises que nous vendangions toujours ou presque par obligation, sans nous interroger sur l'état des raisins.

---

[1] Un chai de vinification, équipé d'un système gravitaire, permet la suppression des pompes et des tuyaux au profit de petits cuvons mobiles, préservant ainsi au maximum le potentiel qualitatif et aromatique du raisin.

Alors, j'ai réfléchi aux millésimes qui avaient marqué le siècle : 1928, 1929, 1945, 1947, 1961. Un constat s'imposait : des récoltes moyennes, faibles, voire très faibles, en des années précoces et chaudes. Conclusion : nous ramassions des raisins mûrs, comme Monsieur Jourdain faisait de la prose sans le savoir ! Les vins produits pouvaient être exceptionnels ou médiocres en fonction du déroulement des fermentations alcooliques, pour lesquelles il n'existait alors aucun contrôle. Les uns, gardant des sucres résiduels importants, étaient altérés par une acidité volatile élevée. D'autres sont devenus des « monuments historiques », sans doute inégalés, qui ont contribué à la gloire de Bordeaux. Retenons cependant qu'un petit nombre figurent au palmarès des bouteilles exceptionnelles qui tutoient la postérité. Alors, ceux qui pleurent le passé et encouragent cette nostalgie poisseuse feraient mieux de se réjouir de la quantité d'excellents vins que l'on trouve sur le marché aujourd'hui.

1980 fut un millésime moyen. Toutefois, on trouverait sur la rive droite de très bons vins qui sont encore d'agréables surprises. Quant au millésime 1981, on en parlait peu car le génie de la décennie naquit en 1982. Quelle histoire ! Entre-temps, on avait appris à goûter les raisins avant de les vendanger. Que faut-il de patience pour changer les habitudes qui tiennent lieu de convictions ! Si les viticulteurs, sur toute la planète, juraient leurs grands dieux qu'ils savaient ramasser les baies mûres, ils ignoraient, en revanche, comment définir précisément la maturité. Comment pouvaient-ils l'appréhender ? Les analyses se révélaient insuffisantes. Le plus sûr moyen était donc de croquer le fruit. Je répétais, à mes collaborateurs comme à mes clients, cette vérité immuable : plus on goûte, plus on devient performant dans l'évaluation, même si la dégustation demeure fatalement subjective. Il fallait convaincre les esprits réfractaires que l'appréhension de la juste maturité était un mélange d'expérience, de connaissance, d'intuition, d'arbitraire. Je verrai dans le raisin quand d'autres garderont leurs œillères.

Il n'en reste pas moins vrai que la décision de vendanger dépend surtout des nerfs du propriétaire ! Si notre impuissance devant les aléas climatiques restait la même, nous devions améliorer le travail de la vigne, particulièrement lors des années chaudes. Les vignobles allaient bientôt changer de visage. Presque trente ans plus tard, on réalise combien les mentalités ont évolué dans ce domaine, comme le prouve le millésime 2008 avec les vendanges les plus tardives de l'histoire. Ces grands millésimes nous ont donné la clé des pratiques modernes.

Le début des années 1980 verrait d'autres découvertes majeures dans la révolution qualitative : l'emploi raisonné et raisonnable de l'azote dans les fumures, qui était jusqu'alors utilisé sans retenue malgré son incidence dans le développement rapide de la pourriture. On commença aussi à parler de densité de plantation[1] et des portegreffes. Fi de tous ces 5BB, Paulsen et autre SO4 ! Erreur historique des instances dirigeantes bordelaises que d'avoir recommandé ce dernier, si délétère pour la qualité des raisins et des vins produits. Le vignoble bordelais en souffre encore. Il est inadmissible que des pépiniéristes continuent de le commercialiser.

Malheureusement, l'année 1982, où j'ai goûté les meilleurs raisins, fut quelque peu gâchée par les machines

---

1 L'expression désigne le nombre de pieds de vigne à l'hectare : plus il y a de pieds, plus on diminue la production par pied et plus on augmente la qualité.

à vendanger. Beaucoup de propriétés, et non des moindres, les utilisaient. Une pandémie à Pomerol et à Saint-Émilion! En revanche, pas de dégâts à déplorer dans le Médoc, en raison de l'étroitesse des rangs de vigne[1] qui en limitait l'usage. De surcroît, cette utilisation intempestive s'expliquait par une main-d'œuvre difficile à trouver. À l'époque, aucun aménagement, ni dans les vignes, ni dans les cuviers, n'autorisait la vendange mécanique. J'ai vu ainsi des propriétés qui produisaient d'excellents vins régresser d'un seul coup. Le jus dans les cuves ressemblait à une soupe de sorcière! Araignées, lézards, souris, agrafes métalliques, piquets, écorces et bouts de ficelle macéraient gentiment ensemble. Ce bouillon de culture n'avait rien à voir avec celui de Bernard Pivot. Des propriétaires perspicaces finirent par mesurer la dangerosité des machines et les abandonnèrent. Pour les autres, les vignes seraient préparées afin de les recevoir. Bien plus tard apparurent les tables de tri. Les dernières générations de machines, sans être idéales, se sont considérablement améliorées. Le principal attrait de la mécanisation était de réduire les coûts, une incidence économique que l'on n'a jamais pu négliger.

Dans le Bordelais, la mévente est aussi chronique que les pluies. Conserver des vignobles dans la belle campagne, c'est joli mais compliqué. La vinification requiert des infrastructures sophistiquées et onéreuses. À écouter certains hâbleurs, on oublierait que le noble breuvage reste un produit de consommation destiné à être vendu. Les viticulteurs, eux, n'ignorent pas que le vin est moins un investissement qu'une danseuse. Le marché fait ce qu'il veut.

Bruissante de promesses, 1982 restera gravée dans les

---

1 Moins de 1,50 m.

mémoires. Mais demeurait une vérité dégrisante : il n'y a pas plus difficile à contenter qu'un propriétaire terrien. C'est ainsi qu'à nos oreilles revenaient régulièrement des plaintes désespérées. Chacun y allait de son couplet. Et on débitait toutes sortes d'aberrations. Quand il pleuvait, on entendait « Il ne pleut pas assez ! », ou la variante tout aussi navrante « Il pleut trop ! Il faudrait que ça s'arrête ! » Et quand le temps devenait plus sec, on se lamentait : « De la pluie ferait du bien ! » Il n'y avait pourtant aucun excès à déplorer ; bien au contraire, la météo fut clémente, au-delà de nos espérances. Les vendanges, précoces, avaient débuté le 10 septembre ; les grappes surprenaient par leur maturité et les jus abondants par leur qualité. Un millésime sous les meilleurs auspices. Au final, des bouteilles historiques !

Ce fut également l'année où les journalistes s'intéressèrent de plus près au monde du vin. L'un d'entre eux allait établir immédiatement sa réputation en s'engageant avec l'enthousiasme qu'on lui connaît. D'autres, plus timorés, pointaient le bout de leur nez. D'autres encore se voulaient donneurs de leçons. Ils étaient contre, c'était leur seul catéchisme. Mais nous n'étions qu'au début de ce qu'il conviendrait d'appeler une débauche médiatique. Nous en reparlerons plus tard.

En 1982, les chais n'étaient pas équipés de refroidisseurs fiables : la chaleur caniculaire pendant les vendanges provoqua des arrêts de fermentation. Grâce aux progrès de l'œnologie, la plupart des piqûres lactiques furent évitées. Mais les vins étaient doux, comme on disait alors. Même le Conseil interprofessionnel du vin de Bordeaux (CIVB) s'en émut et créa une commission chargée d'étudier les raisons de ces arrêts intempestifs. Les produits phytosanitaires furent l'objet d'une attaque en règle.

Il fallait bien désigner des coupables. Pourtant la commission, dont je faisais partie, n'a rien trouvé. Comme l'analysait froidement l'humoriste américain Fred Allen : « Une commission est une assemblée de gens qui, seuls, ne peuvent rien faire, mais qui à plusieurs peuvent décider que rien ne peut être fait. »

Nous savons aujourd'hui que les fortes températures non maîtrisées et l'absence d'homogénéité dans les cuves lors des remontages[1], par manque de moyens, sont les seules responsables. Je me souviens qu'un client propriétaire avait un nombre impressionnant de cuves dont la fermentation n'était pas terminée. Suspicieux, je lui demandai : « Avez-vous bien effectué vos remontages ? » Et, comme toujours, il me répondit : « Évidemment. » Je lui posai alors d'autres questions afin de comprendre ce qui se passait. Puis j'établis un rapide calcul : notre homme aurait dû pomper quarante-trois heures par jour pour accomplir un travail idéal ! Heureusement, le nombre et la qualité des pompes ont augmenté depuis. Comme il n'existait pas encore les levures sèches ou lyophilisées, les fermentations repartaient le plus souvent l'été suivant, et c'était bien sûr la meilleure solution.

Un autre problème était apparu : la réglementation de l'Institut national de l'origine et de la qualité (INAO) qui, pour attribuer le certificat d'agrément permettant d'utiliser le nom de l'appellation, n'acceptait pas les sucres résiduels. Certains propriétaires commirent des erreurs qui leur ont coûté très cher. On touche là aux limites des réglementations rigides et extrêmes. Afin d'obtenir à tout prix

---

1 Régulièrement, pendant la fermentation, le moût, le jus au fond de la cuve, est remonté par aspiration, pour arroser les raisins du dessus de la cuve, le chapeau.

un « label », certains étaient contraints de redémarrer la fermentation à grand renfort d'adjuvants. Pour ce millésime d'exception, les prix du marché restèrent raisonnables. Ce n'est qu'avec la production du millésime 1983 qu'ils s'énerveront au printemps 1984.

L'été 1983 fut chaud, surtout juillet. On craignait la prolifération de maladies et on n'avait pas tort. Le *black-rot*[1] causa des dégâts importants dans les vignobles, mais on disposait désormais d'un arsenal de traitements efficaces. J'ai visité plusieurs propriétés à Pomerol où la maladie avait sérieusement altéré les vignes. L'une d'entre elles était gérée par deux demoiselles qui préparaient le « sulfate », comme on disait encore, dans un bassin en bois. Je me souviens d'une scène délicieusement surannée : un employé venait avec son bœuf faire le plein de sa machine à traiter. Mais le *black-rot* fut plus fort que le bœuf. Jean de La Fontaine en aurait tiré une excellente morale. Affligées, les pauvres demoiselles, Thérèse et Marie, m'invitaient à prendre le thé. Deux sœurs inséparables qui ne se ressemblaient pas : si l'une était mince et petite, l'autre était ronde et grande. Elles communiaient avec le Ciel, et de temps en temps avec moi. Entre deux gorgées, nous dévidions sur la famille, l'ancien curé de Pomerol. Nous nous lamentions aussi sur les injustices de la nature et sur notre impuissance. Elles me demandaient de revenir dans quinze jours pour apprécier la situation… J'avais l'embarras des ignorants : je ne savais rien, Seigneur ! Je suis pourtant revenu, et j'ai sacrifié au même cérémonial : thé, discussion, désolation. Et les demoiselles

---

1 Le *black-rot* est une maladie cryptogamique des végétaux et de la vigne. Elle est due au développement du champignon *Guignardia bidwellii*. Originaire d'Amérique du Nord, elle apparut en Europe au milieu du XIXe siècle, et aux alentours de 1855 en France. (Source : Wikipédia).

me regardaient comme pour éloigner de sinistres présages. C'était la préhistoire du consulting. Je comprenais qu'il fallait écouter les clients, déceler leur mode de fonctionnement, les rassurer au besoin, et donner des consignes au moment opportun, c'est-à-dire le moins souvent possible. Mais à cette époque, je n'osais pas dire « non » ni réclamer un denier à celles que je saluais le dimanche à la messe.

1984 : mauvais printemps et floraison dramatique pour le merlot. Année médiocre qui verra Bordeaux et ses marchands, dans leur « grande sagesse », vendre plus cher ce millésime que les 1982 et 1983. Certains négociants ne s'en sont jamais remis. J'entends encore cet importateur californien, dans sa *warehouse*[1], qui avait acheté un lot complet de caisses d'un grand château bordelais, me confier, avec une amertume non dissimulée dans la voix : « Celui-là, j'en ai pour le restant de mes jours ! » Aujourd'hui, on admet communément qu'il s'agit du millésime le plus faible des trente dernières années.

En 1985, la récolte fut de qualité sans être exceptionnelle. Sur la rive gauche, les pluies de fin de septembre et début octobre avaient empêché les raisins de mûrir correctement. En rive droite, les dégâts restaient limités : les merlots et les cabernets francs, toujours plus précoces dans la véraison[2], atteignaient une belle maturité.

En cette année, j'initiais une pratique qui ébranlerait durablement le monde des pampres : les vendanges vertes. Quelques-uns affirmaient qu'elles avaient été

---

1 Entrepôt.
2 Stade de maturation du raisin au cours duquel le grain change de couleur : rouge violet pour le raisin rouge, translucide pour le raisin blanc.

inventées au Moyen Âge. Pure légende. À ma connaissance, seuls trois viticulteurs de la rive droite osèrent adopter cette méthode qui se révélerait décisive dans la qualité des millésimes à venir : Christine Valette au château Troplong-Mondot, Jean-Michel Arcaute à Clinet et Hubert de Boüard à L'Angélus, tous fraîchement arrivés aux commandes de leurs exploitations. C'étaient là des amis que je conseillais, nécessairement fous pour écouter un autre fou. Les voisins, devant ce qu'ils considéraient être un gaspillage obscène, se répandaient en quolibets. Il faut bien avouer qu'on ne récoltait que de la rancune. Quelques années plus tard, certains se sont transformés en « coupe-ceps ». Munis de tronçonneuses, ils sont venus nuitamment décapiter des centaines de pieds de vigne dans une belle propriété de l'appellation Margaux. La nuit rend téméraire. Ceux-là mêmes qui avaient jugé notre acte barbare sont devenus des barbares. Chaque époque possède ses coupe-jarrets. Le vin aussi peut offrir une dramaturgie puissante. Le constat de Voltaire reste tristement inchangé : « Ce globe est couvert de folies et de malheurs de toute espèce. »

Comment pouvait-on ignorer que le rééquilibrage de la charge par pied avait pour heureuse conséquence un meilleur état sanitaire ? Les grappes étant moins nombreuses et plus aérées, on combattait efficacement la contamination des maladies et on obtenait des raisins homogènes, équilibrés, sains. Seuls les hasards de la nature pouvaient donner pareils résultats, une ou deux fois par décennie seulement ! Aujourd'hui, on reconnaît que cette pratique viticole fut l'innovation la plus importante des années 1980. Mais, à l'époque, on entendait surtout des propos indignés, surtout chez les défenseurs acharnés du portefeuille qui voyaient tous les inconvénients, de la compensation de la grosseur des grains (partiellement vrai) à l'absence de récolte l'année suivante (totalement faux)[1]. Moins de vin, c'était moins d'argent, répétaient ceux qui n'avaient pas pour préoccupation d'économiser leurs paroles.

Il faudra attendre une vingtaine d'années pour qu'un viticulteur ait l'élégance d'en rire. Ainsi, le 14 juillet 2011, un de mes clients, publicitaire et compositeur hollandais, possédant un vignoble de quinze hectares à Saint-Romain-la-Virvée, non loin de Bordeaux, a choisi de transformer l'acte castrateur en un joyeux marketing. Se désolant que la « maman vigne » souffre d'être séparée de ses « bébés raisins », il décida d'installer un orchestre au pied des règes[2]. La musique adoucit les mœurs, c'est bien connu. Il fit descendre du ciel un piano, autour duquel se sont regroupés des choristes aux voix chaudes et consolatrices. La tendresse plutôt que la cruauté. Les vignes semblaient en goguette. Les spectateurs aussi. Après les cantilènes, un bal fut organisé au village. Mon ami Yves Vatelot, propriétaire du château Reignac, ne croyait pas si bien dire lorsqu'il préconisait de « traiter le fruit comme un bébé dans ses langes » !

J'ai rencontré Catherine Péré-Vergé en 1985. Une belle, droite et claire nature. Cette fille d'industriel, originaire du Pas-de-Calais, venait d'acheter le château Montviel à Pomerol. Elle est arrivée à pas feutrés dans un milieu qui n'aime pas trop les « étrangers ». Il faut savoir que dans notre petit monde, on se reçoit assidûment, on se tend des pièges, on se chamaille, et on n'attend pas toujours la fin de la récréation pour recommencer. Le grand mérite de Catherine Péré-Vergé, c'est d'avoir voulu aussitôt comprendre : de la conduite du

---

1 Depuis, il a été prouvé scientifiquement que l'initiation florale de l'année suivante s'effectue avant la floraison de l'année précédente.
2 Dans le Bordelais, un rège est l'espace entre deux rangs de vigne.

vignoble aux infrastructures du chai, en passant par la difficile commercialisation du vin. En 2000, elle s'est lancée avec moi dans l'aventure du Clos de los Siete en Argentine. Dans la foulée, elle a fait l'acquisition des châteaux Le Gay et La Violette, petit joyau de Pomerol. Ressuscité en 2007, ce cru est aujourd'hui un des plus courtisés de l'appellation. Archétype du merlot sur les sols singuliers de cette petite commune, il est tout en charme. L'enthousiasme de Catherine Péré-Vergé à produire des vins de grande qualité en a fait un personnage majeur dans le cercle fermé des viticulteurs. Elle a su s'intégrer et parfaire ses connaissances de la vigne et du vin comme peu l'ont fait, même ceux qui y ont passé toute leur vie. Aucune affectation chez cette femme de poigne, elle exècre les chevilles enflées. Pas de rhétorique poudrée, ni de périphrase : elle pense que toute vérité, même dérangeante, même douloureuse, est bonne à dire. Pugnace, pragmatique, elle se tient aussi éloignée de l'abstraction qu'un chat de l'eau froide. Elle sait de son père qu'on ne tient les affaires qu'âprement. Jacques Dupont[1] l'a décrite comme « naïve ». Une palourde aurait eu plus de flair.

Toujours en 1985, un jeune homme débarqua à Fronsac chez mon ami Paul Barre : il avait pensé aux vendanges pour gagner un peu d'argent dans le Bordelais... Stéphane Derenoncourt n'en repartira pas et s'y construira. Lorsque la mère de Paul, Maryse Barre, qui exerçait la profession de courtier, prit la gérance de Pavie-Macquin, il devint maître de chai. Il y travaillera avec moi une dizaine d'années, jusqu'en 2001. Ce château ne jouissait pas de la même notoriété qu'aujourd'hui. Une fois n'est pas coutume : je suis intervenu auprès de Jean-Paul Jauffret et Jean-Marie

---

1 *Le Guide des vins de Bordeaux*, Grasset, Paris, 2011.

Chadronnier[1] pour trouver le moyen de commercialiser la production tous les ans. Pavie-Macquin manquait de trésorerie et avait besoin de sécurité financière afin de progresser. Mes amis imaginèrent un montage en indexant Pavie-Macquin sur la quotation des propriétés voisines plus réputées. Ils s'assuraient ainsi un bon cru classé à un prix très raisonnable. Stéphane Derenoncourt déploya alors une rare énergie; petit à petit, à la force du poignet, il gravit les échelons. À Saint-Émilion, sa réputation grandissait. On lui confia d'autres vignobles. Il devint officiellement consultant en 1999. Je lui laissai la responsabilité de Pavie-Macquin après les vendanges de 2001, puis celle de Prieuré-Lichine et Branas-Grand-Poujeaux. Doté d'une grande sensibilité, bon dégustateur, Stéphane avait tous les atouts indispensables à ce métier, pour lequel aucune formation n'existe réellement ou tout au moins ne suffit. Certains n'ont rien trouvé de mieux que de nous opposer : l'authentique fils de la terre contre le cynique faiseur de vin… L'enfant du peuple supérieurement doué contre l'agent du capital! On brossait de jolis portraits, on établissait des clans, on ajoutait des arguments aux arguments… Qu'aurait-on su écrire d'autre?

1985 fut un grand millésime pour les polémiques puisque commençait aussi celle de l'usage du bois neuf[2]. Pendant que certains s'indignaient, les vins perdaient pour la plupart leurs caractéristiques aromatiques de vieux bois, de cuir, de fourrure, assorties parfois de sueur de cheval, et, pour les plus chanceux, de « merde de poule ». On désignait par cette expression poétique une levure quasiment inconnue à l'époque : *Brettanomyces*, capable de développer ces odeurs jusqu'à les rendre rédhibitoires. Il nous fallait bien sûr lutter

---

1 Dirigeants du Consortium des vins de Bordeaux et de la Gironde (CVBG).
2 Le vieux chêne est un terrain fertile pour le développement de toutes sortes de germes.

contre ces déviations qui ont ruiné tant de vins. Dans un premier temps, on s'intéressa au parc à barriques. On répétait qu'il valait mieux mettre les barriques au feu et élever en cuve, sans savoir que les cuves en acier inoxydable développeraient le goût de réduit lié au manque d'oxygène...

Nous allions découvrir l'usage des barriques neuves. Comme toujours, il y en eut pour se déchaîner : « On dénature le vin ! » Quant aux dégustateurs du dimanche, ils étaient assurés de devenir des experts, les notes boisées étant facilement reconnaissables. Au moment des primeurs, les plus stupides lâchaient, à intervalles réguliers, l'expression magique : « Trop boisé. » Ça sentait surtout le dogme obtus. Ma réponse est restée la même depuis vingt-cinq ans : « Si les vins ne sont pas boisés au mois de mars, alors qu'ils ont été élevés en barriques neuves durant cinq mois, il faut intenter un procès au tonnelier ! »

Bien sûr, on déplora des abus et des ratages, mais globalement, s'il rencontrait – je dirais, presque amoureusement – un vin fait pour lui, ce bois tant critiqué lui donnait une complexité jamais égalée dans un autre contenant. Mais de tous les champions du verdict, aucun n'est venu me dire que les millésimes 1988, 1989 ou 1990 étaient « trop boisés ». Pourquoi ? Parce que ce goût, exacerbé au début, finit par s'estomper et disparaître. L'œnologie moderne n'a pas trouvé de réponse à la stabulation du vin en fût sans qu'il y ait une incidence sur le goût. Il ne faut pas oublier que les vins élevés en barriques sont appelés à vieillir. L'harmonie se révèle le plus souvent dans l'entrelacs des années.

Qu'on me permette un aparté. En 1985, Athos a fait irruption dans nos vies. Au début, ce yorkshire n'éveillait chez moi aucun intérêt. Ce petit rien m'irritait plutôt. On aurait dit qu'il s'évertuait à faire ses « commissions » dans les endroits les plus fréquentés de la maison. Nous avions décidé qu'il serait le cadeau de Noël de nos deux filles... Athos a su s'imposer très vite comme le gardien de la demeure. Et devenir le compagnon de mes jours et surtout de mes nuits. Quand je prenais un avion à une heure indue, il se réveillait avant même que le réveil ne sonne. Il me suivait dans la salle de bains, s'asseyait sur le tapis. Heureusement, les chiens ne parlent pas. Le mien aboyait même moins fort qu'un journaliste. Il sortait serein de la pièce, rien n'aurait su l'offenser. D'abord, j'avais interdit qu'il pénètre dans notre chambre. Mais il y est toujours parvenu. Il s'endormait toujours dans mon dos, et chaque matin, je craignais que ma lourde carcasse n'ait écrasé la misérable bête. Ses petits yeux ronds dans sa tête d'épingle semblaient me dire : « Je suis plus malin ! » Quand je rentrais de voyage, il reconnaissait systématiquement le bruit de ma voiture. Il guettait mon pas sacré du haut de l'escalier, penchait son museau pour s'assurer que son flair restait infaillible. Le soir, il ne cherchait plus à en avoir quand, sur mes genoux, il regardait les pires navets à la télévision. Même mon cigare ne le faisait pas fuir. Il est mort de vieillesse. On l'a enterré dans notre jardin de Saillans. Il n'y avait pas beaucoup de monde à ses obsèques, mais il y avait du chagrin partout.

1986 fut une année décisive dans ma carrière. Mon activité prenait de l'ampleur. J'effectuai ma première incursion dans les Graves, et le Médoc n'allait pas tarder à m'ouvrir ses portes grâce à l'entremise de Jean-Paul Jauffret, grand joueur de tennis, qui m'avait demandé de m'occuper du château Belgrave. Le visa en poche pour la rive gauche, j'allais découvrir ses fameux châteaux. Jean-Paul, qui m'avait rudoyé lorsque je l'avais sollicité pour acheter mon vin en primeur, devint un ami. Il compte parmi les dégustateurs brillants, rapides, avec qui j'ai beaucoup appris. Son successeur, arrivé dans la maison en 1982, Jean-Marie Chadronnier, développera nos échanges professionnels. Je l'avais rencontré à un dîner chez Jean-Michel Arcaute. Il travaillait auparavant dans le commerce du café. Peut-être en avait-il énormément bu pour alimenter son infaillible énergie ? À l'art de la dégustation, en revanche, il s'initiait doucement. Je le revois assis, concentré, déterminé. On sentait en lui une envie de comprendre le vin dans ses moindres sortilèges. De son regard bleu à la Paul Newman, il voyait clair, il voyait loin. Notre amitié a traversé sereinement les années.

Je partis ensuite aux États-Unis, et à mon retour en France, j'étais comme un bulldozer. J'avais le cerveau en surchauffe, les neurones en état d'excitation maximale. Rien n'aurait pu m'arrêter. Je voulais prendre les problèmes à bras-le-corps. Il fallait sortir de notre apathie en prenant des mesures drastiques. La concurrence mondiale ne nous laissait d'autre choix !

1987, on le présageait, ne serait pas un millésime d'anthologie à Bordeaux. L'été maussade et le cyclone Hortense en plein mois de septembre donneraient des vins simples, peu concentrés, peu tanniques, sans couleur profonde. On était à bout de forces et de nerfs. On dormait peu, on dormait mal. Et on savait que les lendemains ne chanteraient pas. Je décidais de construire au château Le Bon Pasteur un chai moderne pour l'époque : cuves de petit volume (rapport 1 x 1)[1] afin d'augmenter la surface du chapeau de marc et diminuer sa hauteur.

---

1 Aussi large que haut.

Autre innovation : des tuyaux de distribution de vendange dans les cuves les plus courts possible, sans coudes, pour limiter les frottements et ne pas altérer le fruit. Enfin, l'installation d'un système de contrôle de température automatique, avec, pour la première fois, la possibilité de produire du chaud et du froid simultanément, dans des circuits indépendants. Désormais, nous pouvions chauffer des cuves tandis que nous en refroidissions d'autres. « Simple comme bonjour », répétait-on, mais encore fallait-il que ce système existât ! Un ingénieur thermicien, Jean-Louis Bouillet, avait réfléchi à ce concept à ma demande. Finis les refroidisseurs qui ne refroidissaient rien mais donnaient bonne conscience aux propriétaires ! Ces derniers mettaient en route nuitamment ces machines qui ne fonctionnaient pas alors qu'elles leur avaient été vendues à des prix prohibitifs par des fabricants plus soucieux de leur chiffre d'affaires que des résultats. Finis aussi les problèmes chroniques de fermentation difficile. Une révolution dans le monde de la vinification...

Après des années noires pour le raisin comme pour le vin obtenu, se généralisaient les vendanges en cagettes[1]. La modernité remplaça également les grands tombereaux métalliques équipés de vis sans fin. Ceux-ci permettaient de décharger les raisins sans main-d'œuvre dans les conquêts de réception, qui abîmaient les derniers raisins épargnés par la première vis. Des pratiques « anti-œnologiques » au possible ! Certains châteaux, et non des moindres, ont pourtant mis vingt ans à se convaincre de l'utilité des cagettes. Dans le vin, comme dans d'autres domaines, le dénigrement précède trop

---

1 Les fruits sont transportés dans des cagettes en plastique afin de préserver au mieux leur intégrité. Auparavant dans des hottes, ils étaient écrasés et donnaient en conséquence des jus de qualité moyenne.

souvent les initiatives, et les habitudes restent plus fortes que le courage.

Le millésime 1988 serait, je l'imaginais, détonant. Tout d'abord par sa précocité, puis en raison d'un cycle végétatif anarchique. Les vignes, après avoir poussé très tôt, fin mars pour les plus précoces, cessèrent de se développer. De petits rameaux chétifs, n'excédant pas quinze à vingt centimètres, perdaient peu à peu leur couleur verte, virant le plus souvent au jaune. On craignait les gelées de printemps. Cette année-là, nous vîmes les plus belles attaques d'araignées rouges de notre histoire. Seulement visibles à la loupe, elles causèrent des dégâts considérables. Ces petits acariens ont pour spécialité de sucer la sève à travers les feuilles et d'affaiblir gravement la plante. Dans une année normale, les montées de sève sont plus rapides que l'agression. Mais, en 1988, la végétation décatie ne pouvait se protéger de cette invasion barbare. L'inquiétude grandit encore avec un mois de mai très froid et pluvieux. Ce serait bientôt la floraison et on redoutait une maigre récolte, à cause de la coulure ou de millerandage[1]. Mais Dame Nature fait ce qu'elle veut. En moins d'une semaine, le soleil était au rendez-vous, les températures remontaient. L'été frais ruina néanmoins les avancées du vignoble. Puis commença une longue période de sécheresse, même après les vendanges de fin septembre et surtout d'octobre. Au final, on obtint des vins denses, aux tanins et aux arômes de fruits prononcés, avec une pointe d'acidité. Un grand classique bordelais. Quelques vins de ce millésime gardent une étonnante jeunesse.

Les hasards de la vie… J'aurais pu ne pas le rencontrer. Si Patrick Léon, œnologue du château Mouton-Rothschild,

---

1 Dégâts causés par le mauvais temps sur la fleur de la vigne.

n'avait pas eu d'obligation de réserve, il serait certainement devenu le conseil d'Alain-Dominique Perrin. Toujours est-il qu'après une conversation téléphonique avec ce dernier, alors président de Cartier, je me rendis au château Lagrézette, près de Cahors. Je parcourus le vignoble en voiture décapotable. La vigueur des vignes et le nombre de grappes laissaient présager une récolte abondante. Mon interlocuteur me déclara : « Je ne possède pas de cave ; mon vin est fait à la coopérative. J'aimerais que vous le suiviez. » Une grande première pour moi : élaborer, pour un particulier, un vin dans un « kolkhoze » ! Je découvris les lourdeurs et les incongruités du système : mauvaise réception des raisins en conquêt, fruits ni triés ni sélectionnés, cuves volumineuses, élevage sous bois d'un vin déjà assemblé. En somme, une vinification rudimentaire, très rudimentaire. Je prévins aussitôt Alain-Dominique Perrin : « Aucun miracle possible. Mon intervention serait inutile. » N'étant pas homme à abdiquer, il me dit : « Je vous promets un chai à Lagrézette dans quelques années... » Sa construction s'acheva en 1992. Une conception avant-gardiste qui utilisait la gravité : les raisins arrivaient au-dessus des cuves, mais ils étaient encore acheminés par une pompe. Nous avons aujourd'hui un chai entièrement gravitaire. Le château Lagrézette, magnifiquement restauré, est un havre de paix dans un écrin de verdure, où même les années semblent prendre leurs aises. Ses vins comptent parmi les meilleurs de la région[1], et les deux sélections, la cuvée Dame Honneur et Le Pigeonnier, sont devenues des fleurons de l'appellation.

Un regard au laser et une intelligence sans concession, Alain-Dominique Perrin est un homme pour qui la fatalité

---

1 Cahors est une belle région région viticole historique complantée avec le cépage cot (malbec).

n'existe pas. Il aurait fait mentir André Lafon qui écrivait :
« C'est si peu nous qui faisons notre vie. » Jamais rassasié,
toujours actif, échafaudant sans cesse des projets, il sait
ce que pèse une réussite. On le dit redoutable en affaires
et passionné d'art contemporain. On sait moins sa loyauté
et sa fidélité. Un dur au cœur tendre qui s'évertue, comme
tous les pudiques, à cacher ce qu'il est. Depuis vingt-cinq
ans, avec Alain-Dominique et quelques autres, nous prenons plaisir à nous retrouver pour déguster quelques
flacons et savourer de bons plats. Nous laissons le régime
aux gens sérieux.

Avec mes déplacements à l'étranger, mon agenda se
compliquait. Les mois défilaient à grande vitesse. À
Bordeaux, depuis juin 1988, il ne pleuvait plus ; même
l'automne n'avait pas rempli les nappes phréatiques.
L'hiver, largement déficitaire en eau, provoqua un
débourrement précoce. Encore des nuits blanches à
redouter de possibles gelées. Mais la nature décida d'être
bienveillante. Un beau temps sec s'installa, avec des températures dépassant les moyennes saisonnières.
Conséquences ? Un cycle végétatif parfait, une floraison
exceptionnelle, une grosse récolte en perspective. Les
vendanges vertes débutèrent véritablement en 1989. On
ne pouvait pas encore parler de généralisation de cette
procédure car seulement 2 à 3 % des propriétaires
l'avaient adoptée. Les consignes restaient simples : enle-
ver les agglomérats de grappes compacts, éviter que les
raisins ne se touchent, les aérer suffisamment afin de
limiter les risques de pourriture en fin de cycle. Nous
apprendrions plus tard à garder les fruits proches du
tronc ou des vieux bois et, dans le meilleur des cas, à ne
conserver qu'une grappe par rameau. On réduirait même
la taille en supprimant les épaules et les extrémités qui
tardent toujours à mûrir.

En 1989, l'été, toujours aussi sec que les mois précédents, compliquait la situation. Le vignoble avait besoin d'eau. « Tombe la pluie », telle était notre prière. Nous fûmes entendus. Il faut bien avouer que lorsqu'on est désespéré, on arrive à se convaincre de tout. Début août, des ondées abondantes et répétées redonnèrent à la vigne l'énergie nécessaire pour mûrir parfaitement. On ne priait plus, on s'extasiait. On tenait là un millésime historique à Bordeaux, tant par sa précocité que par sa qualité. Nous allions vendanger si tôt que je reportai mon voyage aux États-Unis en octobre puisque là-bas, à l'inverse du Bordelais, le ramassage serait tardif.

Toujours en 1989, je rencontrai Élysée Forner et son neveu Henri, qui dirigeaient le château de Camensac. Ils avaient été propriétaires du château Larose-Trintaudon. L'approche se voulait tout autre qu'à Marques de Caceres, leur vaste cave en Rioja (Espagne) : les dégustations se déroulaient dans le petit laboratoire et le vin se vendait sur la place de Bordeaux. Nos échanges étaient toujours feutrés, jusqu'au moment où l'on devait arrêter la date des vendanges. Les années de *Botrytis* ne se laissaient pas oublier. L'attente effrayait mes clients, tandis que j'étais comme Dalida (la ressemblance, je le concède, n'est pas flagrante) : j'attendais, le jour et la nuit, j'attendais toujours… la maturité optimale. Pour les rassurer et les convaincre définitivement, je devais évaluer avec exactitude la prise de risques. Dans ces situations délicates, l'humour peut se révéler précieux. On m'a reproché mon « sourire béat », mais avec ce que j'ai à dire aux clients, il ne manquerait plus que je fasse triste figure !

Le monde agricole procède par étapes lentes et réfléchies. Là où cela devient pathétique, c'est que certains réfléchissent encore ! Il faudra donc une vingtaine d'années pour que l'idée de l'effeuillage[1], jugée saugrenue au départ, fasse son chemin. Aujourd'hui, lorsqu'on se promène en septembre dans le Bordelais, la proportion de vignes effeuillées est impressionnante. Après des débuts timides en 1992, la pratique s'est généralisée en 1998-1999, quand les propriétaires se rendirent compte qu'ils économisaient du temps et de l'argent durant les vendanges. Ils ne criaient plus comme des brûlés qu'on les acculait à la ruine. L'autopersuasion, elle aussi, finit par se fatiguer.

1990, encore un millésime d'anthologie. On avait bénéficié d'une climatologie complaisante, d'un été chaud, d'une maturité précoce et d'un volume de production important. Après l'abondance de 1989, un plus grand nombre de châteaux décidèrent de diminuer le rendement. Les vendanges en vert se développaient, y compris chez moi, au château Le Bon Pasteur. Elles m'ont d'ailleurs valu un échange cocasse avec un employé de la propriété. Décidément le quotidien ne manque pas de surprises. Un matin, je descendais à mon bureau et j'ouvrais les volets. C'était là un rituel. Je logeais au-dessus de mon laboratoire. En ce jour de juin, interloqué, je découvris sous mes fenêtres Marcel, les traits tirés, le regard fébrile. « Que faites-vous là à 7 heures ? » Il articula péniblement : « Je veux vous parler… » À sa mine déconfite, je sentais qu'il avait quelque chose de grave à m'annoncer. Je le fis entrer. L'estomac sans doute noué, il lâcha sur un ton monocorde : « Ne comptez pas sur moi pour faire tomber des raisins. Je viens vous donner ma démission. » Pour le pauvre homme, c'était un crève-cœur. Longue discussion. Il fallait

---

1 Méthode qui consiste à supprimer les feuilles basses pour donner aux raisins une meilleure exposition.

bien ça pour le tempérer. Je lui dis que l'équipe féminine de la propriété s'en chargerait. Marcel repartit, sinon soulagé, tout du moins apaisé. Mais l'histoire ne s'arrête pas là : en 1992, nous réitérons l'opération, et comme nous n'étions pas légion à l'avoir adoptée, Marcel, avec fierté, expliquait la nécessité de ce geste à tous ceux qui cherchaient à se convaincre. Là aussi, Jean de La Fontaine aurait pu écrire une jolie fable.

Cette même année, je rencontrais à mon laboratoire Pascal Colotte, qui travaillait pour la tonnellerie Saury. Un redoutable vendeur. De ceux qu'on met dehors par la porte et qui reviennent par la fenêtre. L'œil coquin, l'homme avait du panache. Il s'était construit tout seul. Beaucoup de gestes, beaucoup de mots. Au fil des années, j'ai appris à deviner ce qu'il pouvait cacher sous son masque de dérision. Quand on l'écoute, on rit. C'est systématique. On ne saurait rivaliser avec cet habile conteur. Il n'est pas habituel chez lui de grommeler avant d'évoquer les choses qui lui tiennent à cœur. S'il vouvoie son interlocuteur, ce n'est jamais plus de deux minutes. Il préfère les formules argotiques aux discours empesés, les accolades franches à l'urbanité. On l'aime ou on l'exècre, mais personne ne saurait lui reprocher d'être hypocrite : il dit toujours ce qu'il pense, et même plus.

Début janvier 1991, je déjeunais à Gradignan au Chalet Lyrique, étape obligée des amateurs de viande. Les entrecôtes y sont toujours plus grandes que les assiettes. Grâce à l'entremise de mon ami Gérard Gribelin, propriétaire du château Fieuzal, au regard bleu perforant, j'avais rendez-vous avec un investisseur, jeune et dynamique, qui venait d'acquérir le château Smith Haut Lafitte. Daniel Cathiard, sans son épouse Florence ce jour-là, possédait le charme des gens passionnés. Les mots se bousculaient dans sa bouche. Au bout de quelques minutes, il me tutoyait et me demandait d'être le conseil de sa nouvelle propriété. Ce furent là les débuts d'une belle collaboration et d'une franche amitié. J'ai compris que les Cathiard iraient aussi vite dans les vignes que sur les pistes enneigées du temps où ils étaient tous deux champions de ski. Ils n'étaient pas encombrés par les codes poussiéreux des Bordelais. Depuis vingt ans, ils ont mis leur énergie à enterrer le superflu et à éradiquer les attitudes chichiteuses du milieu. Nous avons besoin de personnalités fortes dans notre microcosme figé dans ses habitudes poussives. La tradition est souvent un prétexte pour rester amorphe. En dix ans, la marque Smith Haut Lafitte allait décoller grâce à de géniales stratégies de communication et à une remise en question de tous les instants. Naîtront plus tard Les Sources de Caudalie, un établissement aujourd'hui de renommée internationale, comprenant un hôtel, un restaurant étoilé et un spa somptueux. Un complexe de remise en forme précurseur à l'époque où naissait tout juste la vinothérapie.

Les premiers mois de 1991 étaient comme de jolies promesses. Le débourrement fut précoce mais le répit de courte durée. Le 21 avril restera gravé dans nos mémoires. Ce dimanche matin, après une nuit glaciale, la gelée allait ruiner une grande partie du Bordelais et tous nos espoirs. Seuls les vignobles qui voyaient l'estuaire furent épargnés ; situés sur des terrains privilégiés, ils ont pu résister aux morsures du gel. Comme l'été serait favorable au déroulement du cycle végétatif, ceux-là produiraient un vin de bonne qualité. Mais dans notre laboratoire, le moral était en berne, notre activité restant étroitement liée au nombre de cuves remplies. Les nuits ressemblaient à des nuits. On rêvait aux bouteilles qu'on ne boirait pas. La lucidité triste n'a jamais empêché de rêver. Les échantillons ne se comptaient plus par milliers. À 18 h 30, les employés étaient partis. Cette année-là, ma femme et moi avions décidé de prendre en fermage une petite propriété à Lussac. Il fallait la restructurer ; nous avions élaboré des plans et fixé des budgets. La gelée du 21 avril arrêta net nos ambitions. Il nous faudrait attendre 1996 pour revenir sur ce projet de restauration du château La Grande Clotte.

Dans le cadre du salon international Vinexpo 1991, on m'avait sollicité pour une conférence. Le sujet ne pouvait que m'inspirer : « Les grands changements dans la viticulture et la vinification ». La querelle des sceptiques et des modernes agitait la profession. On commençait à parler d'uniformisation du goût et du bois outrancier. Des stupidités qui seraient reprises en chœur par des journalistes à la solde de propriétaires devenus experts en mensonges (plus qu'en bons vins, d'ailleurs). Ces derniers s'ingéniaient à vouloir nous persuader que le progrès les inquiétait. En réalité, ils rechignaient aux réformes parce qu'elles étaient coûteuses et contraignantes à mettre en place. L'immobilisme était plus rentable, tout au moins à court terme. Les inepties, il s'en professait beaucoup. Dans la viticulture de notre belle région, les esprits étriqués ne se répondaient qu'à eux-mêmes.

1991 s'achevait dans la tristesse et 1992 s'annonçait difficile : floraison plutôt tardive, été froid et humide, avec une grosse récolte pendante. Les raisins ressemblaient à des prunes. Encore d'importants volumes en perspective. Les réductions de rendements, jusqu'alors anecdotiques, se multipliaient. Je ne cessais de répéter qu'on devait maîtriser la production par la taille des vignes et la suppression des grappes en surnombre. Selon la logique darwinienne, les raisins restants deviendraient plus concentrés. Or, avec des fruits plus concentrés, on élabore des vins plus denses. « Dense », qu'on me permette de le préciser, ne signifie pas pour autant « bodybuildé » ou « confituré », avec un fort taux d'alcool. À l'époque, les rétrogrades avaient trouvé une nouvelle raison de s'indigner : « Il ne faut pas pratiquer les vendanges vertes car les merlots compensent… » Si on suivait leur raisonnement, les raisins devenaient plus gros. C'était vrai. Mais, en 1992, c'est la pluie qui les avait fait gonfler ! Le château Angélus, propriété d'Hubert de Boüard, appliqua à la lettre la procédure tant décriée et produisit certainement le meilleur vin du millésime.

Avouons que l'année 1992 fut des plus compliquées : on ne parviendrait pas à rendre attractifs ces vins dilués, sans couleur, sans personnalité. Fort heureusement, des méthodes essentielles pour la recherche de la qualité se développaient : l'effeuillage, le tri sélectif, la maîtrise des rendements. La production 1991 ne nécessitant pas une grande implication, j'avais, comme on dit, « quelques libertés ». Entre les États-Unis, l'Argentine, l'Italie et l'Espagne, je ne sombrais pas pour autant dans un total désœuvrement. J'en profitai cependant pour améliorer mon handicap au golf : 18, je n'ai pu faire mieux depuis. Dans un entretien professionnel, ne jamais dire mot sur ses compétences golfiques, car elles sont souvent significatives du temps passé sur les *fairways*.

1993 dans la sérénité : un débourrement plutôt précoce et un joli printemps. Mais la campagne de primeurs n'apporta pas le moindre soulagement à la dépression ambiante. Le marché demeurait atone, même en cette année de Vinexpo. Nous espérions un bon millésime pour relancer les affaires. Pour ma part, j'avais évité la faillite grâce à l'amitié et la loyauté de Jean-Paul Marmin. Ce patron de la SOCAV[1] s'était engagé à acheter la quasi-totalité de ma récolte 1992. Je lui en saurai gré le restant de mes jours. Même si je n'avais pas élaboré les plus mauvais vins de la Gironde, il fallait une bonne dose de dévouement pour s'en encombrer. À côté des mesquineries et des manigances, existe aussi cette élégance d'âme à Bordeaux.

Je me souviens de ma première visite au château Monbousquet. Le printemps était beau, pourtant ce jour-là, un orage menaçait. Gérard Perse et moi nous tenions sous le porche lorsque, soudain, il se mit à pleuvoir et à tomber de la grêle. Figés, nous n'échangions plus un mot. Par chance, il n'y eut pas de dégâts. Je ne savais pas encore que ce séduisant quadragénaire allait en quelques années réveiller cette belle propriété pour en faire un cru notoire, accepté en grand cru classé en 2006. Malheureusement, le classement dans l'ensemble de l'appellation n'a pas été validé cette année-là. Le vin n'en demeure pas moins exceptionnel. Gérard Perse et son épouse Chantal forment un couple gagnant. Travailleurs, ambitieux, ils ne laissent rien au hasard. Ils le prouveront de nouveau par l'achat du château Pavie, premier grand cru classé. Gérard Perse mettra toute son énergie pour faire produire à ce terroir d'exception le vin qu'il mérite, et il y parviendra. Encore un nouvel arrivant dans le vignoble qui ne s'est pas réfugié derrière les traditions et qui s'est débarrassé de leurs entraves. N'en déplaise à certains.

Toujours cette même année, j'intervins dans un grand cru des Graves, le château Pape Clément. Situé sur la commune de Pessac, il résiste fièrement et depuis longtemps à la poussée de l'urbanisation. Bernard Pujol, alors

---

1 Négociant éleveur de vins de Bergerac et crus de Bordeaux.

responsable du domaine, m'avait demandé d'en être le conseil. Notre première rencontre s'est achevée par la dégustation d'un Pape Clément 1961. Je n'ai jamais su s'il s'agissait d'une gentille attention ou d'un message destiné à me mettre la pression. Mais, par saint Clément, que c'était bon ! Un moment fort pour un œnologue-conseil que de rentrer dans une nouvelle propriété, qui plus est un grand cru classé. Il importe alors de comprendre – très rapidement, c'est préférable – l'équipe en place, d'écouter attentivement les aspirations mais aussi les inquiétudes. La disponibilité à l'égard de l'autre fait partie intégrante du métier. J'ignorais alors que ce rendez-vous presque ordinaire déboucherait sur une collaboration forte et intense avec Bernard Magrez. Il développerait, quelques années plus tard, sa production en achetant plusieurs vignobles, en France mais aussi à l'étranger. Un jour de septembre, tout juste débarqué de l'avion qui m'avait ramené des États-Unis, je filai à la propriété. Bernard Pujol m'attendait, la mine désolée : « Depuis hier il est tombé quarante millimètres d'eau. » Une longue période pluvieuse commençait. On ne pourrait pas élaborer le très bon millésime que chacun appelait de ses vœux. Les vendanges se déroulèrent sans incident majeur. 1993, comme on l'avait imaginé, ne serait pas une année d'anthologie. Toutefois, on trouverait des vins plaisants, dont le plaisir résidait essentiellement dans leur jeunesse intrépide.

En 1994, Léoville-Poyferré, magnifique propriété de quatre-vingts hectares dirigée par Didier Cuvelier, me sollicita. Je découvris les différents responsables techniques, mais aussi leurs résistances. J'avais déjà cette devise : « Ne jamais refuser, contredire peu, insister toujours. » Comme souvent, la force des convictions réussit à pacifier les esprits contrariés. Peu à peu, on progressait dans la connaissance des parcelles. On déterminait, avec l'aide d'un géologue, la composition des sols ; on s'assurait que les variétés de cépage s'adaptaient aux différents terrains. Le vin serait nécessairement de meilleure facture. On étudiait également la maturité des raisins, on affinait les procédures de vinification. En quelques années, Léoville-Poyferré tutoyerait de nouveau ses prestigieux voisins. Il les dépasserait même dans les années 2000. Quant au millésime 1994, il restait de qualité moyenne.

L'année 1995 fut moins fastidieuse : floraison et véraison dans les normes saisonnières. En rive droite, le millésime sera jugé meilleur car les merlots, plus précoces, avaient été ramassés avant les pluies. Les cabernets n'ont pas connu le même sort, ils ont été altérés par les ondées. Cependant, en rive gauche, on trouvait de belles réussites ; de grands châteaux du Médoc, ne l'oublions pas, ont un pourcentage élevé de merlot. C'est pourquoi le clivage rive droite-rive gauche n'a pas de sens. Quand j'entends des journalistes répéter *ad nauseam* : « Ce sera une année rive droite », je rigole doucement. Ils s'enferrent dans ces plates redites, de plus en plus théâtrales, de moins en moins vraies. Avant de se prononcer, il vaudrait mieux qu'ils goûtent, mettent en perspective, et donnent aux consommateurs des informations autrement plus précises. S'en tenir à un discours globalisateur n'aide ni à réfléchir ni à identifier les bons crus.

1996 s'est écoulée paisiblement. Ce fut un millésime de transition. Pensant ne pouvoir les assumer, je n'acceptai pas d'autres contrats. Je compris plus tard que seuls les désœuvrés n'ont jamais de temps. Seule Sophie Fourcade-Reiffers m'a convaincu cette année-là de m'occuper de ses différentes propriétés à Saint-Émilion. Elle a mis depuis toute son énergie au service des vignobles de la famille : château Baleau, et les deux pépites, Les Grandes Murailles et Saint-Martin. Une grande fille toute de douceur et de gentillesse, qui « fait si bien l'amitié », comme disait joliment Montaigne.

Dès janvier 1997, commencèrent les dégustations des millésimes 1995 en bouteilles, et des 1996 encore en élevage. La presse œnologique, toujours avide de qualifications simplistes, donnerait son verdict : 1995 serait une année rive droite, 1996 une année rive gauche. Précision amusante : quinze ans après, personne n'est capable d'identifier, dans les bons crus, le millésime, et souvent même la rive ! En fait, de part et d'autre de la Garonne, on trouverait de belles réussites. Mais ces jugements hâtifs sont restés dans les esprits et affectent encore les appréciations.

1997, un demi-siècle d'existence sur terre. Nous étions trois amis à franchir la cinquantaine. Une date intermédiaire, le 24 novembre, fut choisie pour célébrer dignement l'événement au château Jonqueyres. Je me souviens de cet incroyable dîner au cours duquel nous avons bu tous les 1947 que nous avions pu trouver. Les premiers crus classés de Bordeaux bien sûr, et d'autres vins moins prestigieux. Au total, vingt-sept bouteilles partagées avec Robert Parker et notre ami Jean-Michel Arcaute, disparu accidentellement en 2001. Tous trois avons trouvé ce millésime 1947 exceptionnel. En un soir, nous venions de démontrer que le degré alcoolique élevé et l'acidité totale basse n'étaient pas antinomiques à l'excellence. Ce millésime surprenait par sa vivacité, sa densité et sa complexité. La finesse, ce terme démagogique, n'avait pas encore été inventée pour couvrir les lacunes des vinificateurs. En 1947, on se contentait d'élaborer de grands vins. Cela aurait pu suffire.

1997 fut assurément une année folle dans le travail : quatre-vingt-six propriétés suivies à Bordeaux à titre personnel. Le déclic se produisit à ce moment-là : je devais engager des collaborateurs. Aujourd'hui, ils sont sept à travailler pour le cabinet Rolland conseil et prestation (RCP). Mon emploi du temps délirant et la baisse du taux légal d'alcoolémie au volant à 0,5 gramme justifiaient les services d'un chauffeur. Outre les dégustations, on me conviait régulièrement à des déjeuners et des dîners, or je n'avais aucune intention de finir au poste. On ne dira jamais assez que nous avons un métier à risques ! Mon activité à l'étranger se développait : États-Unis, Espagne, Italie, Mexique, Argentine, Chili. Et je partais pour la première fois en Afrique du Sud. Tout au long de l'année, j'avais gardé mes cartes d'accès à bord : en décembre, j'en comptais cent soixante-sept...

Après être restés vingt ans domiciliés cours des Girondins à Libourne, au-dessus du laboratoire, nous avons déménagé en décembre à Fontenil, propriété de Saillans achetée en 1986. J'avais toujours regretté la campagne, depuis que mes parents l'avaient quittée pour s'installer à Libourne. J'y retournais enfin. Une page se tournait.

Malheureusement la météo ne fut pas indulgente dans le Bordelais en 1997. Le millésime serait d'une qualité moyenne à cause d'une dilution importante qui s'expliquait par les pluies d'équinoxe. À la morosité ambiante s'ajouta la perte d'un ami cher, Peby Guisez, propriétaire du château Faugères avec son épouse Corinne. Il est décédé en pleine vendange. Avec Peby, nous avions décidé, puis reporté au millésime suivant en raison des intempéries, la création d'une cuvée spéciale. En 1998, Corinne choisira de l'appeler Peby-Faugères. Le succès de cette cuvée, hommage à un homme rare, précocement disparu, ne s'est jamais démenti. La propriété appartient maintenant à Silvio Denz.

Dans l'ensemble, la qualité des vins s'améliorait, et ce en dépit de conditions climatiques difficiles. Les nouvelles techniques permettaient, sinon d'élaborer de grands nectars, au moins d'obtenir des vins fruités élégants, consommables dans leur jeune âge. N'étant pas aptes à vieillir plus d'une dizaine d'années, ils pouvaient néanmoins se révéler surprenants à la dégustation. Encore aujourd'hui, certains, sans être grands, sont tout à fait dignes d'intérêt.

1998 commençait dans la quiétude : une nouvelle maison, loin des rumeurs de la ville, sans autre bruit que celui du feu de cheminée qui crépitait doucement. Au mois de mars, le millésime 1997 passait au crible de la critique : tous les médias, grands et petits, débarquaient dans la capitale girondine pour le goûter. Les vins, agréables au demeurant, n'avaient rien d'exceptionnel. Les commentaires furent unanimes : des vins élégants, légèrement dilués, peu denses, à boire rapidement et à ne pas stocker.

Entre le 16 et le 23 août, je parcourus les vignobles, comme je le faisais chaque année avant de partir aux États-Unis. Normalement, je croque quelques raisins blancs, mais pas les rouges qui sont trop loin de la maturité. Pourtant, la couleur du merlot attira mon attention et je me laissai tenter. Surprise : les fruits, sans être mûrs, étaient déjà savoureux ! Je n'ai jamais retrouvé ce goût aussi précocement dans la saison.

Si 1998 se révélait excellente à Pomerol, le continent américain souffrirait cette année-là d'un phénomène météorologique, appelé *El Niño*, qui allait contrarier fortement le millésime. Cette même année, au château Malartic-Lagravière, nous allions utiliser le fameux chai entièrement gravitaire, le premier de l'ère moderne. La famille Bonnie avait repris cette propriété en 1997 et souhaitait moderniser les infrastructures. Le projet fut conçu et réalisé par l'architecte bordelais Bernard Mazières, avec l'aide de Jean-Louis Bouillet.

Le marché, atone au début des années 1990 à cause de la guerre du Golfe et de la qualité médiocre des millésimes, retrouvait de la vigueur avec les 1995 et 1996. Les médocs avaient été considérés comme très bons, tout serait donc très bon. Logique implacable. Les prix des 1996 augmentèrent, même pour les vins de la rive droite. Il se passa ce qui se passe toujours : les prix continuèrent à monter, puis flambèrent. Seul Bordeaux peut se targuer de vendre cher le médiocre et de ne pas vendre le bon, comme le 1990 resté en panne de commercialisation. Nous avions connu pareil phénomène en 1984, certainement l'un des plus piteux millésimes des quarante dernières années.

En 1998 toujours, je rencontrai un personnage comme on en rencontre peu dans l'existence : Bernard Magrez. Un vrai meneur d'hommes à la poignée de main ferme. Il avait vendu son affaire de négoce en spiritueux, William Pitters, et venait de prendre les commandes du château Pape Clément. Il s'intéressait aux terres du Languedoc, alors en déshérence, et aux vins du Nouveau Monde. Aujourd'hui, Bernard Magrez possède trente-huit vignobles en France et à l'étranger. J'ai tout de suite aimé travailler avec lui. Les discussions partaient en tous sens, on réfléchissait à haute voix. Il ne concédait rien, et moi non plus... Nous avons pris l'habitude de nous affronter en toute intelligence : nos échanges restaient courtois parce qu'on recherchait tous deux la même chose. Avec lui, jamais de routine. Il voulait toujours plus, il voulait toujours mieux[1]. C'est grâce à des propriétaires de cette trempe que le monde du vin évolue.

Si tout (ou presque) avait changé sous le ciel de Bordeaux, lui est resté le même. Quatorze ans plus tard, il tient à être présent à chacune de mes visites. Une moleskine sous le bras, il note tout ce qui est dit. Dans les vignes, au chai, lors des assemblages. Il répète souvent : « Monsieur Rolland, on est des hommes debout. Mais on n'est jamais au bout. Il faut continuer, continuer toujours, comme si on avait l'éternité devant soi. » Je me souviens particulièrement d'une matinée électrique à Pape Clément. Le maître de chai avait préparé les échantillons avant mon arrivée. Je commençai à déguster. J'ai dû avoir un rictus en m'approchant du crachoir qui empestait le vinaigre. Difficile de goûter les vins dans de telles conditions. Bernard Magrez, de mise élégante comme à son habitude, l'a compris sans que je ne dise mot. Les secondes s'étiraient comme l'éternité. Tout à coup, le sourcil épais baissé sur sa pupille dilatée, il a pulvérisé d'invectives le directeur technique ! La foudre n'aurait pas causé plus de ravages. S'ils ne se sont pas disputés, c'est parce que l'employé n'a osé l'interrompre. Bien sûr, le parcours et le caractère autoritaire de Bernard Magrez prêtent le flanc à la critique. Mais tous ceux qui travaillent avec lui ressortent fortifiés et savent remettre en question ce qui est acquis. Bernard Magrez est un des très rares hommes qui interdisent la tranquillité.

---

1 Pour preuve, les évolutions spectaculaires de Fombrauge, grand cru à Saint-Émilion, et de La Tour Carnet, cru classé du Médoc.

La tranquillité, justement, voilà l'erreur. Englués dans une mythologie romantique, nous avions pris l'habitude de courber l'échine devant Dame Nature. C'est elle qui commandait. Ou le Ciel, peu importe. Il fallait passer dans les vignes avec un crucifix à la main ou se résigner. On s'obstinait à ne pas se poser de questions, ça évitait de trouver des réponses. Mais la vigne se moque des chimères et des calembredaines.

Dans les années 1960, je le répète, on pensait production. Durant la décennie suivante, on pensait production et état sanitaire, mais sans se demander si l'on pouvait intervenir sur les vignobles. On ne parlait pas de qualité, on ne connaissait même pas le terme (aujourd'hui, tout le monde a ce mot plein la bouche, surtout ceux qui ne s'en préoccupent pas ou ceux qui en ont fait un concept marketing). J'avais compris qu'un œnologue ne pouvait conseiller de loin. J'allais donc sur le terrain et fixais des priorités qu'on ignorait superbement la plupart du temps. Maintenant, on me paie pour répéter ces mêmes consignes. Combien de fois me suis-je désolé en constatant qu'il aura fallu vingt ans pour intégrer la nécessité de l'effeuillage ! Nous étions pourtant les premiers à pouvoir en bénéficier, et c'est à l'étranger que la technique fut massivement adoptée.

1998, une année riche en événements comme en rencontres. Au mois de juillet, le laboratoire quittait le lieu historique où mon prédécesseur, Jean Chevrier, l'avait créé en 1952, pour s'installer sur les terres de mon enfance, à Pomerol. Un emplacement stratégique pour son accessibilité. Ce laboratoire, nous l'avions imaginé moderne, fonctionnel, avec de beaux volumes. Compte tenu de la commodité de ce nouvel établissement, aucune nostalgie ne nous a envahis. Seules mes filles, Stéphanie et Marie, regrettaient leur maison du cours des Girondins. Une autre page était tournée.

À Bordeaux, la décennie 1990 avait été marquée par des avatars météorologiques. Le plus souvent, le cycle végétatif s'achevait dans la difficulté : les pluies de fin août et de septembre venaient, sinon ruiner, du moins dégrader sévèrement la qualité des jus. Les vins avaient alors ce « goût lavé » qui décourage la dégustation. Pour éviter ces désagréments chroniques, un groupe d'amis réfléchissait à de possibles solutions : Jean-Luc Thunevin au château Valandraud, Jean-Louis Despagne à la Tour de Mirambeau, la famille Chastenet-Droulers à Carles et moi-même à Fontenil. Après maintes discussions, il avait été communément décidé d'installer des bâches en plastique entre les rangs de vigne pour couvrir le sol et éviter la pénétration de l'eau, laquelle, absorbée par les racines, provoquait des dilutions préjudiciables. Grand bien nous en avait pris car entre le 20 août, date de la pose des bâches, et le 27 septembre 1999, premier jour des vendanges, il était tombé cent cinquante millimètres d'eau !

Le lot bâché se révéla nettement meilleur que les autres. Cette évidence ne suffirait pourtant pas à convaincre. L'année suivante, par précaution, nous réinstallions les bâches. Entre leur mise en place et la récolte : onze millimètres d'eau. Nos fonctionnaires, irrémédiablement efficaces et clairvoyants, nous accusèrent de « modifier le terroir » et nous obligèrent à renoncer à l'appellation. On produirait donc des vins de table. Cette sanction, dépourvue de toute logique, nous a inspirés. Nous débaptiserions nos propriétés : « L'Interdit de Valandraud », « La Preuve par Carles » et « Le Défi de Fontenil ». Le syndicat des Bordeaux, plus perspicace, refusa de sanctionner Jean-Louis Despagne. Il en fut presque frustré : la bagarre contre les ineptes réglementations renforce les convictions.

Intelligence et administration, une cohabitation difficile. Et c'est chose regrettable, car il y aurait tant à accomplir dans notre beau pays de France. Il me souvient avoir raconté à une tablée de chasseurs mes démêlés avec l'INAO. À la fin du dîner, les langues se déliaient et les sarcasmes sur l'impéritie de nos technocrates fusaient. L'un de mes amis lâcha avec morgue : « Pourquoi n'appelles-tu pas ton cru "Les bâches folles" ? » Seules la pudeur et la déférence envers nos amis éleveurs m'ont retenu ; je ne voulais pas ajouter à leur désarroi.

Dès fin 1998, j'avais commencé dans l'appellation Pauillac ; Alfred Tesseron m'avait demandé de le conseiller à Pontet-Canet, deuxième cru classé et magnifique terroir. La naissance d'une belle histoire. Avec le propriétaire et Jean-Michel Come, directeur technique de la propriété, nous allions analyser le vignoble et restaurer les chais. On modifierait en conséquence les installations et on travaillerait en biodynamie. Pontet-Canet, en une poignée d'années, deviendrait l'un des vins les plus courtisés de la place de Bordeaux et des marchés mondiaux.

Seul épisode fâcheux de l'année : la grêle, au début du mois de septembre, causa d'importants dégâts sur dix-sept des crus de Saint-Émilion dont je m'occupais. Un orage, d'une violence inouïe, dévasta le vignoble. Le volume des raisins en fut considérablement réduit, mais la qualité sauvegardée.

L'an 2000 ! Que n'avions-nous pas entendu sur cette année au chiffre magique ! On avançait toutes sortes d'hypothèses, plus folles les unes que les autres. On parlait.

Trop. On se voulait visionnaires, mais c'est bien connu, les visionnaires ne voient rien du tout. Une seule prédiction se réalisa : l'augmentation de la consommation de champagne. Le passage au nouveau millénaire avait quelque chose de particulier. Pourtant, la nuit du 31 décembre fut semblable à celle de la veille.

Saint-Émilion n'arrivait pas à oublier les grêlons de l'an passé. Je décidai d'organiser une dégustation à l'aveugle de trente-quatre vins ; dix-sept dont le vignoble avait été grêlé et dix-sept épargnés. Tous les propriétaires se déplacèrent. Nous leur donnâmes une enveloppe dans laquelle avait été glissé le numéro de leur vin. C'était la seule information qu'ils possédaient. La reconnaissance des « grêlés » et des « non-grêlés » n'était pas évidente. Ils repartirent donc rassurés. Seuls les domaines situés « dans l'œil du cyclone » avaient donné des jus aux tanins un peu plus rugueux et secs, caractéristiques de ce fléau.

Cette initiative se révéla néanmoins essentielle à la préparation des dégustations du mois de mars, qui réunissaient les éminents critiques de la planète, dont Robert Parker. Une des dernières opérées dans la tradition : on goûtait, étape par étape, dans des châteaux différents, les appellations concernées. Cette année-là, on commença par les pomerols au château Rouget, les grands crus et les grands crus classés au château Figeac. Les propriétaires, monsieur et madame Manoncourt, nous avaient réservé un accueil des plus chaleureux. Je me souviens de leur délicate attention : une magnifique bouteille de 1947, décantée au juste moment, et servie lors du déjeuner préparé par Dany, chez nous, à Fontenil. Après le repas, nous dégusterions les fronsacs et les lalande-de-pomerol. On se rendit ensuite au laboratoire pour goûter les échantillons des autres appellations. Journée chargée mais instructive.

Le rituel s'est arrêté quand la correspondante de Robert Parker à Bordeaux a voulu organiser elle-même les rendez-vous de son employeur. On connaît la suite : elle a écrit un livre pour dénoncer la méthode Parker. Encore une justicière que la justice a rattrapée. J'en reparlerai plus loin. Une seule conclusion, tristement vraie : « Les gens se vengent des services qu'on leur rend. »

Le conseil en œnologie se développa en 2000 : de trois collaborateurs, nous allions passer à cinq, puis rapidement à sept : Christian Veyry, Jean-Philippe Faure, Steve Blais, Mikael Laizet, Bruno Lacoste, Julien Viaud et Thierry Haberer. Grâce à leur appui, nous étions en mesure de proposer un service rapproché aux viticulteurs et de les assister au mieux dans leur démarche. En 2000, encore, les objectifs seront véritablement atteints et on comprendra enfin l'impérieuse nécessité d'améliorer continûment la qualité, une préoccupation relativement moderne. Cette même année, à l'occasion de la fameuse vente des Hospices de Beaune le troisième week-end de novembre, je fus convié à une verticale[1] de La Tâche organisée par Marc Rougeot[2]. Une dégustation magique. Les vins, quand ils atteignent pareille complexité, vous obligent. D'absolues merveilles. J'étais très chanceux. Deux millésimes resteront gravés dans ma mémoire : 1971, une perfection de finesse et d'élégance, et 1959, dont l'impressionnante densité ne pouvait que séduire. Nous terminerons cette dernière année du IIe millénaire par un voyage en Argentine, où nous célébrerons les fêtes de Noël.

En janvier 2001, à New York, le *Wine Enthusiast* désignait

---

1 Dégustation d'un même vin dans plusieurs millésimes.
2 Propriétaire bourguignon.

pour la première fois l'œnologue de l'année. Sans doute le plus vieux de la liste, j'eus le redoutable privilège d'être élu. L'âge n'apporterait pas que des outrages... En Argentine, j'inaugurai avec mon associé Pascal Chatonnet le laboratoire à Lujan de Cuyo. Une journée singulière, tant mon attachement est grand pour ce pays. Ce fut l'année où j'ai conseillé le plus de propriétés. Lorsqu'on m'interroge, je réponds toujours que j'en supervise une centaine, mais en 2001, la barre des cent était largement dépassée.

À Bordeaux, deux événements majeurs alimentèrent les conversations. Le premier fut l'achat de Lascombes par Colony Capital, grâce à l'entremise d'Yves Vatelot, propriétaire du château Reignac. Je me souviens que les commentaires, aussi stupides que déplacés, allaient bon train dans notre microcosme. Je souhaite néanmoins à tous les beaux parleurs, qui n'ont d'autre constance que de pontifier, de réaliser la même plus-value en dix ans dans leurs affaires.

Le second événement, amplement commenté et dénigré, serait l'égrenage manuel. « Délire », « folie », « marketing », entendrait-on. Les formules manquaient à ceux qui s'empêchaient de réfléchir. Le procédé, connu mais non utilisé, fut de nouveau adopté à la suite d'une conversation avec Bernard Magrez. Ce dernier m'avait demandé : « Que faudrait-il entreprendre pour améliorer les vins du château Pape Clément ? » Outre la réponse habituelle, qui préconise de perfectionner la conduite de la vigne pour obtenir de meilleurs raisins, je lui expliquai : « L'idéal serait de détacher délicatement le grain de la grappe et de le déposer dans la cuve. » « C'est ce qu'on va faire ! » réagit-il aussitôt. Cette méthode présente de nombreux avantages : absence de trituration de la vendange, absence d'oxydation puisque le grain reste entier. Le tri classique engendre une perte de 3 % et le tri optique jusqu'à 5 %. Ces technologies se révèlent bien plus dispendieuses que la main-d'œuvre. Mais là encore, il faudra des années pour que l'on comprenne l'évidence : moins de gestes, c'est moins d'altérations. Les fruits, pour atteindre une qualité optimale, ne doivent pas souffrir de procédures préjudiciables pour conserver leur potentiel aromatique.

En 2001, à Long Island, sur la côte est des États-Unis, on avait essayé de cultiver des raisins de qualité. Échec. Il m'a fallu plusieurs vendanges pour réaliser que certains endroits du monde ne sont pas adaptés pour créer des vins d'exception ou n'en produisent que de façon aléatoire. Et pourtant, quelques-uns répètent, avec conviction, que je fais du pomerol dans le monde entier ! Mais soyons lucides. La multitude des climats et des microclimats, des topographies, des expositions et des sols oblige à de constantes révisions. Il y a ce que l'on sait, et surtout ce que l'on ne sait pas. Peut-être, dans quelques décennies, la science comblera-t-elle nos lacunes.

CHAPITRE III

Rencontre avec Robert Parker

*« Le mensonge est plus fort que la vérité,
car il comble l'attente. »*

Hannah Arendt

Juillet 1982. Un après-midi d'été tranquille. Laboratoire désert. L'été, rares sont les clients qui viennent déposer des échantillons. La sonnette retentit : au pas de la porte, un couple. La jeune femme demanda « Michel Rolland, s'il vous plaît », dans un français impeccable qui ne laissait toutefois aucun doute sur sa nationalité. Le trentenaire à ses côtés, d'allure joviale, ne parlait pas un mot de notre langue. Quant à moi, si je parlais anglais, c'était uniquement sous la torture. La charmante étrangère était toute désignée pour devenir notre traductrice. J'apprendrai plus tard qu'elle enseigne le français à Baltimore et qu'elle est l'épouse de Robert Parker. Mais pour l'heure, son mari, me confia-t-elle, avait un problème : il se heurtait à la condescendance des propriétaires girondins et ne pouvait goûter ces bordeaux qui le fascinaient tant. La morne période estivale compliquait encore les choses…

Cet Américain inconnu, avocat de formation, était membre d'un club qui organisait des dégustations collégiales. Il rédigeait un compte rendu après chaque séance. Ses transcriptions et ses commentaires séduisaient déjà. Il les publierait plus tard dans le *Wine Advocate*, revue de référence pour tous les amateurs et les professionnels du vin dans le monde. Dès les années 1980, son audience commençait à grandir. Robert Parker décida de venir en France pour découvrir les régions viticoles et déguster *in situ*. Les arrière-chambres des restaurants à Washington et à Baltimore ne lui offraient pas de conditions idéales. Mais dans l'Hexagone, les portes ne s'ouvraient pas encore à son seul nom. Il avait pensé que le dialogue avec un œnologue lui permettrait de mieux comprendre la complexité de Bordeaux et lui faciliterait l'accès à certaines propriétés. Il est venu ainsi dans mon laboratoire. Probablement avait-il entendu mon nom. Sa conversation enjouée et ses questions pertinentes suffirent à me convaincre. Bien sûr, il n'était pas question d'organiser, pour une personne étrangère, une dégustation d'échantillons aux fins d'analyse, fatalement peu représentatifs des vins. Je lui proposais donc de se rendre chez moi, au château Le Bon Pasteur, où nous pourrions déguster sur barriques. Je prévins la laborantine de mon départ imminent.

Nous voilà donc partis sur les sinueuses routes ensoleillées de Pomerol. Nous étions en juillet 1982 et nous n'imaginions pas que ce millésime serait déterminant, tant pour celui qui allait devenir le critique redouté, que pour son hôte. Grâce aux traductions de Madame, nous avons échangé deux heures durant sur le millésime 1981, encore en fûts, et sur le terroir de Pomerol, complanté en merlot et en cabernet franc. Je trouvais l'homme enthousiaste et curieux. Sa culture des vins était déjà impressionnante, nettement supérieure à celle des grimauds des médias que j'avais croisés jusqu'alors. À la fin de notre entretien, je lui ai proposé d'organiser d'autres dégustations, en mars de l'année suivante.

Ma réputation naissante à Libourne m'octroyant quelques prébendes, Robert Parker n'aurait plus à souffrir de la condescendance du milieu. À cette époque, je ne voyageais pas. Mon activité se concentrait sur la rive droite. En janvier, février, mars, je préparais, avec mes deux collaborateurs, les assemblages et les dégustations en primeur qui réunissaient alors de petits comités. Aujourd'hui, c'est un show international qui a perdu son âme.

En 1983, comme je l'avais promis à Robert Parker, je rassemblai les meilleures propriétés de chaque appellation que je conseillais: Pomerol, Lalande-de-Pomerol, Fronsac, les satellites mais aussi les grands crus et les premiers crus de Saint-Émilion. Cette première édition, au château La Dominique, fut amusante. Nous arrivâmes à 11 h 30. Quelques propriétaires, déjà présents, ne montraient plus les crocs au visiteur américain; aujourd'hui, ils viendraient tous, sans même s'assurer d'avoir été conviés! Après la dégustation, nous nous rendîmes dans une brasserie de Libourne, La Renaissance, pour grignoter un malheureux sandwich. Il y avait là Peter Griffith (directeur de Premier Export), Dominique Renard (directeur de Bordeaux Millésimes, groupe Moueix), Bob Parker et moi-même. Quelques années plus tard, nous dînions en grande pompe au château Clément-Pichon, autre propriété de Clément Fayat. L'ère des maigres pitances était révolue, celle des dégustations commençait. J'en serai un des principaux organisateurs.

Cette campagne de primeurs allait consacrer définitivement Robert Parker. La presse dans son ensemble était plutôt réservée quant à la qualité du millésime 1982. Le critique américain le plus influent alors, Robert Finigan, partageait cette réserve, tandis que Robert Parker, lui, affichait son enthousiasme. Le premier dirigeait la plus célèbre revue œnologique américaine, *Robert Finigan's Private Guide to Wines*. Il avait jugé le millésime 1982 médiocre, sans finesse et sans aptitude au vieillissement – c'est lui qu'on ne laissera pas vieillir dans la profession. Le verdict ne se fit pas attendre : l'un serait condamné à l'oubli, l'autre au succès.

La respectabilité du *Wine Advocate* ne cessait de gagner du terrain. En mars 1983, Robert Parker goûta les 1981 et les 1982. Il n'accorda pas une très bonne note à ce millésime 1981 que je considère toujours comme intéressant, mais dans l'ombre du 1982. Contrairement aux assertions de la presse de bas étage, Robert Parker n'a jamais fait de favoritisme. Cette première notation en est la preuve : 92 points au départ pour Le Bon Pasteur alors que d'autres châteaux atteignaient allègrement les 95/100 et même plus. Le Bon Pasteur 1982 finira, six ans plus tard, par obtenir un 97/100. Certains vins reçurent 100 points et ne montrent aujourd'hui que le lustre de leur notation.

Que n'avons-nous pas entendu depuis sur les copinages, les réseaux d'influence, les appétences financières, les repas pantagruéliques de monsieur Parker ! D'ailleurs, oserait-on reprocher aux critiques gastronomiques d'entretenir de solides amitiés avec des chefs ? Je n'en suis pas sûr. Les inepties sont légion, surtout quand il s'agit de dénigrer, et certains esprits font alors preuve d'une rare inventivité. Ainsi une propriétaire bordelaise – torturée par des questions métaphysiques mais surtout vexée par la note médiocre de son vin – s'indigna : « Comment Robert Parker peut-il déguster après un déjeuner aux truffes ? » Le comble de la bêtise fut atteint lors de l'affaire Agostini, cette traductrice du *Wine Advocate* qui chercha à semer le trouble à Bordeaux et à discréditer son ex-employeur. Au final, c'est elle qui fut inquiétée par la justice[1]. Comme la vie est cruelle.

Avec le recul, son mari, éminent professeur de droit à l'université de Bordeaux, me paraît bien plus sympathique (il aimait tellement le droit que la justice a fini par s'intéresser à lui). En fin de repas, ayant atteint un degré confortable de jovialité éthylique, les yeux mi-clos, presque révulsés, il entonnait les plus grands airs d'opéra. Aucun ne manquait à son répertoire. Il ne cherchait même pas à recueillir chez ses convives des signes d'encouragement. Le ban et l'arrière-ban des propriétaires, les grands négociants de la place de Bordeaux constataient que les bouteilles de chardonnay, portées par Robert Parker, avaient de curieux effets sur le professeur. Tous éméchés après la dégustation, ils restaient pantois et n'osaient rivaliser avec le maestro.

---

1 Voici ce que disait la dépêche AFP du 5 septembre 2003 sur l'affaire Hanna Agostini : « Le critique américain Robert Parker, célèbre dans pour ses notations le monde entier sur les vins, a apporté vendredi son témoignage à la police judiciaire de Bordeaux dans une affaire de faux et de détournements de fonds impliquant son ex-collaboratrice française, a-t-on appris de source proche de l'enquête. Hanna Agostini, qui fut pendant des années et jusqu'il y a peu son relais dans la région bordelaise, a été mise en examen en janvier dernier pour "faux et usage" et "recel d'abus de confiance" pour des malversations dénoncées par le groupe viticole belgo-néerlandais Geens, qui possède une vingtaine de châteaux dans le Bordelais. Cette ancienne avocate reconvertie dans la traduction spécialisée et la consultance viticole est notamment suspectée d'avoir fabriqué des fausses factures sur du papier à entête du *Wine Advocate*, la revue spécialisée de Robert Parker (40 000 abonnés dans 38 pays). [...] Éclaboussé par cette affaire, le critique américain avait dans un premier temps apporté son soutien à sa collaboratrice avant de se constituer partie civile. Mme Agostini, qui se dit "victime d'acharnement", a annoncé cette semaine dans un communiqué qu'elle avait décidé de cesser de collaborer avec lui. »

Ah ! les doux charmes d'une soirée où la familiarité naissante découvre les ambitions de chacun... Qui a dit qu'on s'ennuyait dans les agapes bordelaises ?

Le phénomène Robert Parker était né. Certains voyaient en lui un mystère, d'autres un scandale. Sa réussite agaçait, elle serait donc suspecte. La presse égoutière s'en donnerait à cœur joie pour démolir celui qui allait tant œuvrer pour les vins de Bordeaux et leur gloire dans le monde entier. Qui oserait affirmer le contraire ? On devrait lui élever une statue plutôt que de se rabaisser à colporter de telles médisances. D'autant qu'il a toujours proclamé son attachement à la France et aux vins des bords de la Garonne : « Quant aux grands crus de Bordeaux, je continue de penser que ce sont les références obligées et qu'on ne trouve nulle part ailleurs cette finesse et cette puissance », confiait-il à un grand hebdomadaire français. Sa probité ? Il est là quand d'autres ont disparu, et il possède toujours la reconnaissance du marché.

Je reste convaincu que Robert Parker s'est distingué de ses confrères par son énergie et sa concentration. Encore aujourd'hui, il peut passer de longues heures d'affilée à goûter plus de deux cents échantillons, et ce avec la même acuité. L'homme, le plus courtisé et le moins courtisan, ne s'est pas laissé démolir : il est resté solide, aussi peu sensible au jeu des courbettes qu'à celui des critiques. Il faut être bien fixé sur soi-même pour se défaire soigneusement des détracteurs et de leurs calomnies. Devant ce qui dépasse, la plupart deviennent vindicatifs et ne prennent pas en considération l'ardeur au travail, les fatigues et les doutes, ni cette chose si rare qu'on appelle le talent.

Il est difficile d'expliquer celui de Robert Parker. Je dirais qu'il est un mélange de sensibilité, d'intelligence ordonnée, de mémoire. Ses réminiscences, précises, détaillées, circonstanciées, étonnent et fascinent. Il y a plus de vingt ans, un soir du mois de mars, nous étions conviés, comme chaque année, à un dîner chez un grand négociant bordelais. Je passai chercher Robert Parker à son hôtel excentré. À peine avions-nous franchi la porte de la noble enceinte que des mains gantées nous tendirent un plateau, avec champagne et sauternes. Avant même de saluer la maîtresse de maison, Robert Parker avait plongé le nez dans son verre aux reflets d'ambre. Avec une certitude déconcertante, il m'annonça : « C'est amusant, j'en ai bu la semaine dernière chez Alexandre de Lur Saluces, c'est Yquem 1937 ! » Je posai la question à notre hôte : Robert Parker avait raison. J'étais sidéré tout autant que ravi : jamais je n'avais goûté ce millésime. Durant le repas, un autre vin fut servi, toujours à l'aveugle. À l'évidence, un vieux millésime par sa couleur et son bouquet. Après un temps de réflexion, l'expert dit : « Saint-Émilion 1964 », et il s'agissait du premier grand cru classé château Canon. À propos du vin suivant, il déclara, après l'avoir plus longuement agité, humé, dégusté : « Lafite des années 1920 ». Et c'était Lafite 1918.

La réaction du propriétaire des lieux ne manqua pas de spontanéité : « Il est venu en cuisine cet après-midi et il a vu ce qui serait servi ! » Faisant mine d'être en colère, il prit une carafe, descendit dans la cave et revint parmi nous une dizaine de minutes plus tard. Il servit le mystérieux nectar. Après un court recueillement, le critique américain regarda fixement le maître de céans : « Ça, c'est vraiment gentil, c'est une très grande bouteille de bordeaux qu'on n'a pas l'occasion de boire souvent. Château Calon-Ségur 1945. » Il avait raison ! Robert Parker ressemblait à un gamin qui aurait joué un bon tour à ses hôtes. Cette soirée-là, il fut époustouflant.

Si chaque instant avait une densité particulière, lui restait humble. Pas le genre d'homme à « s'importancer », comme l'écrivait élégamment le mémorialiste Saint-Simon. Pour avoir eu la chance de dîner plusieurs fois en sa compagnie, je l'ai vu aussi commettre des erreurs, comme chacun d'entre nous. Je le répète souvent : la différence entre les bons et les mauvais, c'est que les bons se trompent moins que les autres. Les dégustations à l'aveugle, voilà ce que Bordeaux a inventé de mieux ! Un exercice d'humilité qui déstabilise les esprits les plus assurés. Il importe alors de garder suffisamment de distance mais aussi d'humour : la dégustation ne sera jamais une « science exacte ». Tant de variables interviennent. Il est malaisé de décrypter ce que l'on sent et de retrouver ce que l'on a goûté.

Devant l'influence du « pape de la dégustation », qui pouvait rayer d'un trait de plume les réputations, certains sont allés jusqu'à souhaiter un « antidote ». Mais l'homme – faut-il le préciser – n'est point venimeux ! S'il n'y a pas eu jusque-là de contre-pouvoir, c'est tout simplement parce que personne n'a tenu le choc en face de lui. D'autres, refusant son « hégémonie », se targuent de ne pas dépendre de ses évaluations. Pourtant, ils restent en ligne tard dans la nuit quand ils savent que les notes du dernier millésime vont tomber. Ainsi, le manager d'un grand château, ne pouvant téléphoner au bureau du *Wine Advocate* parce que retenu à un dîner, avait chargé son œnologue de lui communiquer les résultats. Cette même personne avait déclaré quelques jours plus tôt dans un grand quotidien ne pas vivre « au rythme cardiaque de Parker ». Il avait ajouté que l'homme « avait un défaut majeur : il était seul ». Beaucoup auraient souhaité, il est vrai, le détrôner mais, encore une fois, aucun ne dominait le sujet comme lui.

C'est ainsi qu'on lit régulièrement dans notre presse nationale que Jacques Dupont est « l'anti-Parker ». Cette volonté de s'affirmer « contre » a conduit le critique du *Point*, et tant d'autres, à bien des erreurs. La pire de toutes : imaginer qu'il pouvait rivaliser.

D'aucuns, avec une imbécillité rare, affirment que des viticulteurs se seraient « inféodés à son goût » pour gagner les faveurs du maître. Techniquement, c'est impossible. On n'élabore pas un vin pour plaire à quelqu'un. La spécificité dépend essentiellement du terroir et du cépage. Ensuite, ceux qui n'aiment pas « le goût Parker » ne sont pas contraints de soumettre leurs échantillons. Chose amusante : je n'ai jamais entendu de critiques formulées par les propriétaires des crus bien notés.

Reprocher à Parker ses commentaires partisans, douter de l'indépendance de ses jugements, n'a guère de sens quand on sait qu'il goûte à peu près sept cents vins de Bordeaux. Tous ne sont pas notés, certains sont écartés, car un de ses critères de sélection demeure la présence sur le marché américain. Il n'est pas sérieux non plus de dénigrer son système de notation. Au début des années 1980, il restait tout à inventer en matière de critique et d'évaluation. La communication sur le vin demeurait indigente. On ne disposait que d'écrits vaguement structurés, agrémentés d'étoiles ou de verres. Robert Parker a adopté la notation américaine sur 100 ; cette amplitude d'échelle, comparée à la nôtre sur 20, limite les erreurs. Dans une même exigence d'intégrité et d'exactitude, il s'est imposé de goûter deux fois le même millésime : la première, au moment des primeurs, c'est-à-dire six mois après la récolte, et la seconde, après la mise en bouteilles. Le même millésime reçoit ainsi une note avec une fourchette (par exemple 90-92) et une autre définitive à un seul nombre.

N'oublions pas que la presse œnologique, jusque-là sous l'influence des critiques anglais, se perdait en conjectures, escamotait l'essentiel et s'essoufflait dans un lyrisme éculé. On a perçu alors l'écriture de Parker comme un affront, sans comprendre qu'elle était l'antidote nécessaire aux délayages obscurs, qui ne permettaient pas à l'amateur de savoir si le vin était bon ou mauvais. Que l'on pardonne ma rusticité mais les choses devraient être aussi simples que ça. Les journalistes oublient trop souvent que la clarté est une politesse faite au lecteur.

D'autres encore s'évertuent à passer sous silence le talent de découvreur dont Robert Parker a fait montre au début de sa carrière. Il a placé des vins inconnus devant des crus étendards, salué les initiatives de petits propriétaires, tels Garcia et Thunevin, surnommé « Tue-le-vin » par des comiques involontaires. Nombreux ont crié au sacrilège et affirmé qu'il avait perdu la raison. Il a pourtant sorti de la torpeur certains châteaux qui sommeillaient dans leur grandeur passée. Pour Robert Parker, le classement, la légende et la renommée ne sont pas des passe-droits et ne suffisent pas à déterminer l'excellence d'un cru. Tant d'intuitions et d'exigences ne pouvaient agacer que les médiocres.

D'autres attaques me paraissent tout aussi dénuées de sens, comme celle d'avoir encouragé l'agiotage. La romanée-conti, qui n'a pas bénéficié souvent de ses notes, demeure pourtant un des vins les plus spéculatifs du globe. Est-ce la faute de Robert Parker si ses écrits sont devenus des bibles, mentionnés dans les catalogues, cités lors de ventes prestigieuses, telles Sotheby's et Christie's ? S'il y a imposture et malhonnêteté, pourquoi tous les professionnels du vin se réfèrent-ils aux jugements de Bob Parker ? Et qui lit Dupont à travers la planète ? Pourquoi faut-il toujours analyser le succès de façon négative ? Comme le remarquait justement Charles Dantzig : « Les journalistes n'écoutent pas les réponses, ils écoutent leurs préjugés. »

Bien sûr, tout a été dit sur Robert Parker, bien sûr il faudra dire encore. Parce qu'on ne saura pas épuiser la fascination. En témoigne le joli succès de la bande dessinée *Robert Parker, les sept péchés capiteux*[1] de Benoist Simmat et Philippe Bercovici, sous-titrée *L'Anti-guide Parker*, publiée en 2010. L'histoire ? Le critique américain comparaît devant un tribunal encagoulé : il lui est reproché – comme c'est original ! – « d'avoir tué le vin à la française ». Ses supposés complices – dont je suis, naturellement – se retrouvent aussi sur le banc des accusés. Je dois avouer que mon personnage, croqué avec talent par le dessinateur Philippe Bercovici, m'a fait beaucoup rire. Je crois qu'il en fut de même pour Robert Parker. Nous savions tous deux que nous vivions dans la mauvaise compagnie. Les auteurs ignoraient sans doute que nous ne voulions pas nous perdre dans la bonne. Nous nous serions bien ennuyés dans la « bien-pensance » ambiante, où l'on doit montrer sa belle âme et son certificat de bonnes mœurs. À quand le retour des cérémonies publiques d'exécution ? Notre époque redevient friande de procès en sorcellerie et réinvente la démonologie. Tout en établissant des listes noires, elle médite vaguement sur le meilleur des mondes.

J'y applaudis pour ma part. La place des êtres maudits, c'est en enfer. Quand on inverse leur situation et qu'on les met au paradis, la société chavire. La bonne conscience des redresseurs de tort aussi. Robert Parker

---

1 Éditions 12 bis, Paris, 2010.

est un dégustateur, un très grand dégustateur maudit. Maudissons-le donc. Ne serait-ce que pour avoir un jour la joie de le sortir de l'enfer et de lui rendre justice sans remords.

Quoi qu'il en soit, l'humour n'a jamais empêché la bonne foi. Au cas où le titre et le sous-titre ne seraient pas assez parlants, lisons la quatrième de couverture de la fameuse BD : « Robert Parker, créateur du *Guide Parker*, est depuis trente ans l'homme le plus influent de la planète vin. Le "plus grand dégustateur du monde" est aussi le pivot d'un système, le "système Parker", qui exerce une influence déterminante sur la vinification des grands vins et leur commercialisation. Cette enquête dessinée – la toute première en français sur la "Parker connexion" – démonte l'engrenage infernal qui aura fait d'un dégustateur américain doué, le suppôt de l'uniformisation du goût et de l'inflation délirante du prix de nos belles bouteilles. Imaginer "le procès" de Robert Parker, ainsi que celui de ses généraux français, est une entreprise de salubrité publique ! Il faut dénoncer la standardisation de nos vins, alors que notre vignoble est l'un des derniers domaines d'excellence française. »

La presse était de nouveau à la fête ! Elle trouvait là une nouvelle occasion de vilipender le dégustateur américain : ainsi titrait-on « La suite de *Mondovino* » ou encore « On tire à boulets rouges sur le système Parker ». Mais aucun journaliste, pas même le scénariste, ou collaborateur de *La Revue du vin de France*, n'a révélé qu'il manquait à la cohorte des corrompus un personnage proche de Robert Parker. Quand, en 2010, j'ai remis un prix spécial aux auteurs à l'hôtel Bristol, j'ai tenu à le signifier devant l'assemblée. Le dessinateur s'est évanoui. A-t-il eu peur de moi ? Je n'avais pourtant aucune intention de lui faire du mal. Benoist Simmat m'a tout de même avoué, à la fin de la soirée, qu'il ne pouvait divulguer sa source. Comme dans le film *Les Ripoux*, on ne donne pas la taupe. Faut-il encore parler d'une enquête « fouillée » et « intègre », comme de nombreux médias se sont plu à le répéter ?

Mais ne nous posons plus de questions. Il n'est qu'une réponse : Robert Parker, c'est trente années d'hégémonie critique dans le monde. De quoi balayer ces idioties aggravées et abandonner dans l'ombre ceux qui se croient investis d'un magister moral. Si le sujet continue de déranger, il n'en demeure pas moins influent. Le talent serait décidément indécent. Nos spécialistes des « fins dernières », annonçant régulièrement la « chute » de « l'homme le plus important de la planète vin », n'auraient pas été entendus. Ce bloc de gloire vivante regarde disparaître ceux qui avaient prédit son déclin et qui avaient voulu nous sauver du « mal incarné ». Comme le constatait Émile Cioran, « Rien n'est sûr en ce monde, pas même la fin du monde. » Pour augurer de l'avenir, il faudrait être Chateaubriand. Faute de l'être, taisons-nous.

CHAPITRE IV

Jonathan Nossiter,
le janséniste altermondialiste
et ses acolytes

« Quand la haine des hommes ne comporte
aucun risque, leur bêtise est vite convaincue,
les motifs viennent tout seuls. »

Céline

2004, sortie en salle du documentaire *Mondovino*.
Succès planétaire et immense tapage. La presse française
s'émeut, salue le courage du militant et crie au génie[1].
Le cosmopolite Jonathan Nossiter, mi-sommelier, mi-
cinéaste, mi-écrivain, mi-philosophe, dénonce la volonté
industrieuse des méchants agents du capital qui sévissent
dans le monde du vin. Ceux-là ont tué la poésie, l'artisanat,
l'authenticité. Le brillant esprit a de quoi séduire. Et il

---

1 Ainsi que le précise Olivier Torrès dans *La guerre des vins: l'affaire Mondavi*
(Dunod, Paris, 2005): « Ce film a défrayé la chronique dès le festival de Cannes
2004, puis lors de son lancement. *Libération* encense le film en ces termes: "Au
sortir de *Mondovino*, sensationnelle enquête-reportage sur la mondialisation de
la culture du vin, on n'a pas tellement envie d'aller boire un coup au bistro du coin
mais plutôt de se mettre à l'eau plate pour les cent prochaines années. Entre autres
horreurs tranquilles, Nossiter, aussi bon sommelier que cinéaste, révèle en effet
qu'en gros toute la production mondiale a basculé du côté des vignerons califor-
niens de la Napa Valley qui, avec force collaboration d'œnologues-vedettes et de
critiques "objectifs", ont réussi à imposer le goût unique du pomerol bordelais." »

séduira longtemps. Ainsi lit-on encore le 25 avril 2007 dans *Libération* : « Qu'est-ce que l'intelligence ? On ne sait pas ce que c'est. On sait seulement quand c'est là ou pas, comme l'amour, la beauté, la foi. Ce vendredi matin, l'intelligence est assise sur un canapé dans un hôtel du VIe arrondissement. Quand il parle, Jonathan Nossiter agite beaucoup ses mains comme s'il pétrissait son idée, la caressait, la retournait pour en examiner les imperfections. Il la goûte comme un vin. » Je préfère, pour ma part, la définition de Coluche, certes moins solennelle mais plus pragmatique : « L'intelligence est toujours relative, vu que c'est avec la sienne qu'on juge celle des autres. »

Revenons là où tout a commencé. Cet Américain de la côte est, fils d'un journaliste du *New York Times*, fréquentant la crème des intellocrates[1], m'avait été recommandé par mon ami Robert Vifian, passionné de cinéma et de pomerol, propriétaire du restaurant vietnamien Tan Dinh, rue de Verneuil à Paris. Pourquoi me méfier de ce grand garçon dégingandé, courtois et cultivé, aux yeux presque suppliants ? Il souhaitait me filmer lors de mes déplacements chez mes clients propriétaires, afin de comprendre les conseils et les techniques que je préconisais. Soit. Je n'avais rien à cacher. Il a téléphoné à ma secrétaire pour convenir d'un rendez-vous. Je lui avais fait savoir que la période la plus opportune était celle des vendanges. On se rencontra le 14 octobre 2002 au laboratoire, à 7 h 30 précisément, début de mes visites. Il me suivit toute la matinée et décida d'interrompre le tournage à 13 heures. Je lui avais pourtant proposé de m'accompagner l'après-midi.

---

1 « Il parle avec une émotion contagieuse des pères, de la transmission et de la mémoire des vins, si proche de celle des hommes. » Article de Vincent Remy, *Télérama*, avril 2007.

Au final, trois séquences seront retenues. La première, où l'on me découvre à l'arrière d'une limousine, le téléphone greffé à l'oreille, ordonnant sans aménité à mon chauffeur d'acheter *Le Figaro* et une boîte de cigarillos – la panoplie était complète. Dans la deuxième, on me voit houspiller une malheureuse vigneronne et répéter, tel un pantin surexcité, « micro-oxygénation », comme s'il s'agissait d'une formule magique. La dernière séquence a lieu dans le bureau de mon laboratoire où, sous le feu roulant des questions, j'assène quelques vérités assassines, entrecoupées de rires démoniaques. Voilà à quoi se réduit mon personnage, pressé et péremptoire, exécrable avec ses clients comme avec son employé, prônant des méthodes antinaturelles, servant bien sûr la volonté hégémonique d'une unique culture du goût. On l'appellerait bientôt « parkerisation ». Les diables avaient été désignés. Le justicier Nossiter était né.

C'est ça, la vérité ? Une mise au point s'impose. Si l'intellectuel transfrontalier ne manque pas d'intelligence, il manque de probité. Il n'aurait jamais réussi dans notre métier où l'esbroufe finit toujours par donner un arrière-goût. Quoique tout prêche le vrai, tout sonne faux dans son documentaire irradié par le ressentiment. Coupes sauvages, plans suggestifs, images et propos détournés de leur contexte laissent transpirer une opinion partisane et politisée. On repère facilement les accommodements des cadrages tremblés, qui donnent un vernis d'authenticité, un côté « saisi sur le vif ». Quant à l'enchaînement sélectif de mes paroles, il fait que la dérision de mes réflexions est totalement gommée. Conséquence : à l'humour a été substitué un cynisme belliqueux.

On peut donner à volonté une idée lugubre ou radieuse d'une personne : il suffit de régler l'éclairage. Jonathan

Nossiter connaît son métier. Comme il privilégie la contre-plongée, j'apparais imbu de moi-même[1], infâme conqué-rant, notamment dans une scène où je montre du doigt tous les pays dans lesquels j'interviens : « J'espère qu'ils vont planter des vignes sur la lune et que je serai le premier œnologue. » Dans un article, le réalisateur justifie son montage à grosses ficelles de cette façon : « C'est une comédie de mœurs balzacienne sur les mécanismes du pouvoir et leurs effets sur l'être humain. » Quel splendide lignage ! On est loin pourtant de l'ironie fine du grand littérateur, qui n'hésitait pas à critiquer un journalisme corrompu[2]. L'intégrité du metteur en scène rappelle celle du cousin Pons que le même Balzac avait doté « d'un nez à la Don Quichotte qui exprimait une disposition native à ce dévouement aux grandes choses qui dégénèrent en duperie ».

Autre malhonnêteté : la vigneronne que je semble rudoyer est une amie de vingt-cinq ans, Catherine Péré-Vergé. Je peux lui parler comme à une sœur. Encore un détail : d'ordinaire, je m'installe toujours à l'avant de ma Mercedes, à côté de mon chauffeur ; ce jour-là j'avais cédé ma place pour que le cameraman puisse filmer confortablement. Mon chauffeur, Thierry Chaillou, que l'on perçoit en détresse derrière la grille du château Le Gay, n'a rien de ressemblant avec la personne qu'il est en réalité. Tout en sourire, en gentillesse. Tous ceux qui l'ont rencontré

---

1 Les commentaires haineux sur la toile ont alors proliféré : « Michel Rolland est insupportable de fatuité, d'arrogance et de mépris pour les autres. À gerber. Je n'achèterai plus jamais un vin supervisé par lui. » Philippe Barret, 7 novembre 2004, sur le forum lapassionduvin.com

2 « Si la presse n'existait pas, il ne faudrait pas l'inventer. » Feuilletoniste, Balzac égrène dans toute son œuvre des critiques sur les journalistes vénéneux, corrompus, dont la puissance est disproportionnée par rapport au talent. Vernou se dépeint comme « un marchand de phrases », Finot est surnommé « proxénète littéraire ». Dans l'article « Splendeurs et misères des journalistes » par Marie-Ève Thérenty, *Le Magazine littéraire - Balzac,* juin 2011.

pourraient en témoigner. Quant à l'intéressé, lui non plus ne s'est pas reconnu : « Ai-je vraiment ce regard triste de chien battu dépressif ? » Ses souvenirs du tournage sont restés précis : « Si on s'est arrêtés pour acheter *Le Figaro*, c'est parce qu'il y avait un article important sur le vin. Depardieu ? Il en a été question car il se trouvait dans la région à ce moment-là. Quant aux "micro-bulles", c'est la première année que monsieur Rolland en parlait. Je le sais car j'entends la plupart de ses conversations. Sans l'intervention de Michel Rolland, il n'aurait jamais eu accès à la plupart des propriétés, où que ce soit. Après la première du film au cinéma de Pessac, j'ai cru qu'il allait mettre un caramel à Nossiter, mais il a contenu sa colère et a préféré le "recadrage sarcastique", comme il dit. » Aristote en fit l'amer constat : la reconnaissance vieillit vite.

Le cinéaste pouvait être rassuré, même les esprits les plus légers avaient compris : les barreaux, dans la séquence avec mon chauffeur, symbolisent les cloisons étanches entre riches et exploités. C'est beau, c'est émouvant, mais ce n'est pas vrai en le contexte. Ensuite, vous aurez beau « micro-oxygéner » une piquette, elle demeurera piquette. Il est curieux de constater que *Mondovino* n'utilise qu'une prise de vue de notre déjeuner souriant dans un restaurant libournais, Le Chanzy, tenu par l'ancien sommelier du Chapon fin, institution gastronomique bordelaise. Mais Jonathan Nossiter n'a pas non plus poursuivi son investigation l'après-midi. La pêche avait dû être miraculeuse. Pourquoi s'embarrasser d'informations supplémentaires ?

Afin de vérifier la malhonnêteté et l'incompétence de son jugement critique, il faut se souvenir que le journal *Libération*, après la sortie du film, avait organisé une dégustation à l'aveugle mettant en compétition les « petits vins » de terroir contre les grands vins du « binôme

Rolland-Parker ». Comme l'a écrit Yves Harte dans *Média* : « Devinez ce qu'il en advint ? Les bons vins étaient ceux que *Mondovino* vilipendait ! » Vincent Noce, toujours pour *Libération*, relate cette « conjuration œnophile dans la citadelle de Saint-Émilion » : « À l'ombre du clocher surplombant le vignoble, une assemblée de vingt-cinq amateurs et professionnels s'est retranchée dans l'arrière-boutique de l'enseigne Vignobles & Châteaux. Objet de la conspiration : juger de l'ensemble des vins cités dans le film de *Mondovino*, pamphlet antimondialisation et fervent plaidoyer pour le p'tit vin de famille qui a soulevé les passions. [...] Y a-t-il, véritablement, uniformisation des goûts ? [...] La "Dégustation *Mondovino*" a été organisée par des amateurs qui animent un site[1] et ont été sidérés de la vivacité de la polémique à la sortie du film. [...] Les vins conseillés par Michel Rolland sont apparus assez divers dans le style. En tout cas, le mythe du "Rolland-fait-le-même-vin-partout" en a pris un coup. Ultime paradoxe : le pommard de Montille, héros de *Mondovino*, s'en est fort mal sorti. Comme quoi, la vie est parfois plus compliquée... » La messe était dite. Mais l'évangéliste n'était pas découragé pour autant.

Il me faut rétablir une autre vérité. Dans le documentaire, Aimé Guibert de La Veyssière apparaît comme un vigneron poète, héroïque résistant à l'envahisseur du géant américain Mondavi qui voulait raser ses collines pour augmenter la productivité. Encore de petits arrangements avec la réalité qui me font grincer des dents. Ce Languedocien fortuné, propriétaire du mas de Daumas Gassac, avait cherché, quelques semaines auparavant, à

---

1 Devenu depuis le plus important forum francophone sur le vin : www. lapassionduvin.com

négocier avec le milliardaire américain. Les trémolos dans la voix, les déclarations émues sur l'hymen du ciel et de la terre, les prophéties glaçantes sur une civilisation menacée, c'était après l'échec des tractations commerciales. Il y avait Daniel, Ezéchiel, Isaïe, Jérémie ; il fallait compter désormais avec Aimé Guibert. On a les prophètes que l'on mérite. Arpentant un chemin caillouteux, la bretelle négligemment tombée, tel un rescapé de la barbarie moderne, il déclarait : « Le vin, c'est une relation quasi religieuse de l'homme avec les éléments naturels. Avec l'immatériel. C'est un métier de poète de faire un grand vin. Alors maintenant, c'est remplacé par des œnologues... » Et de conclure tout naturellement : « Le vin est mort. »

C'est touchant, mais ça ne colle pas au personnage. Aimé Guibert a beau devenir lyrique, il n'arrive pas à devenir sérieux. Il n'y a que Jonathan Nossiter pour faire mine d'écouter dévotement ses tirades. Le vieil homme, si attaché à la terre originelle, fut le premier à planter dans le Languedoc du cabernet-sauvignon, lequel n'est pas un cépage traditionnel de la région. Le premier aussi à se faire assister par le professeur Émile Peynaud qui était déjà le conseil des grands châteaux bordelais. Le premier encore à organiser des campagnes de marketing en Angleterre pour imposer son vin de table au prix des grands crus bordelais. Le chantre de la garrigue, à la galéjade facile, cultive les paradoxes aussi bien que ses vignes, comme le constate Olivier Torrès : « Le mas de Daumas Gassac possède cinq hectares au pied du massif ; simultanément, Aimé Guibert a toujours dénoncé toute installation sur le massif. Selon *L'Humanité* rapportant une analyse d'André Ruiz, "l'opposition de la famille Guibert serait mue par une préoccupation exclusive : empêcher que d'autres fassent aujourd'hui ce qu'elle a fait voilà près de trente ans en défrichant la partie de sa propriété située sur le massif de l'Arboussas" ».[1] Aujourd'hui, la défense incantatoire de l'authenticité est devenue le gagne-pain d'Aimé Guibert. Ainsi de son offre en primeur 2011 : « Notre philosophie... Refuser l'industrialisation du vin, les clones, la chimie, les rendements démesurés, les levures industrielles, qui transforment le vin vivant et naturel en un produit "mort industriel". » Mais, bien sûr, tout cela ne doit pas nous empêcher de rester poètes !

L'intègre cinéaste a pourtant fait d'Aimé Guibert un de ses porte-parole pour égrener sa vision binaire : œnologue méchant, vigneron gentil. On connaît la chanson : la nature est bonne et fragile, l'homme est coupable. L'ombre du diable plane sur celui qui bafouerait les traditions millénaires. Qu'on brûle les alchimistes ! Et qu'on porte aux nues les poètes au verbe guimauve ! Philippe Chaudat soulignait que « la Tradition et l'Histoire [sont devenues] des supports publicitaires. ». Ainsi, toujours inspiré, Aimé Guibert fit « paraître une publicité dans *La Revue du vin de France* portant le titre : "Dernières nouvelles du grand opéra de nature : vent du nord et chocs thermiques" »[2]. Quel prosateur flamboyant ! On en oublierait presque que la nature, dans le domaine de la viticulture, peut se révéler profondément hostile. Comment aurait survécu le vin libéré des hypothèques de l'évolution et du progrès ? Ce discours complaisamment rétrograde nie les acquis de la science. Encore des inepties qui ne tiennent pas la route. Mais le militant Nossiter n'a peur de rien, pas même du ridicule. Personne ne saurait le détourner de ses convictions. Il pense. Mieux, il aide les autres à penser.

---

1 *La guerre des vins : l'affaire Mondavi*, Dunod, Paris, 2005.
2 *Ibid.*

Comme l'écrivait Léon-Marc Lévy dans son article au titre déjà évocateur « Les bons, les brutes et les truands »[1] : « Les gentils et les méchants, c'était du temps de Fort Alamo. De nos jours, c'est beaucoup plus compliqué. Tout d'abord, Nossiter "oublie" les travers de ses héros. Ses artistes vignerons, qui font l'apologie du terroir, ne sont pas des anges. Les deux figures centrales, Hubert de Montille et Aimé Guibert sont des *gentlemen farmers*, milliardaires, qui vendent leur production à des prix très élevés (un volnay premier cru de Montille vaut à sa sortie au moins 60 euros la bouteille. Un daumas-gassac, vin de l'Hérault, est au-dessus de 30 euros la bouteille !). Il "oublie" aussi que les techniques en cause (bois neuf, micro-oxygénation, sulfitage, etc.) sont en cours dans la plupart des domaines des "gentils". C'est aujourd'hui une part de notre culture du vin ! Et surtout il oublie de dire que, grâce à ces techniques, les piquettes d'autrefois ont quasiment disparu. Rappelez-vous les années 1960 ou 1970 : le Languedoc, ou les Côtes du Rhône, ou les Costières de Nîmes étaient presque systématiquement synonymes de picrates infâmes, de rouges aigrelets et sans fruit qui vous décourageaient le palais pour longtemps. »

Après la projection du documentaire – du « cocumentaire », devrais-je écrire –, je n'ai pas manqué de faire part de ma déception. Chez moi, elle se change très vite en colère. Le réalisateur eut alors cette réponse édifiante : « Je vous avais invité à visionner les *rushes*. » Tel était le gage de son intégrité intellectuelle. Soyons sérieux. Suffit-il de consulter les notes d'un écrivain pour connaître sa vision ? Suffit-il d'examiner les brouillons de Michel-Ange pour constater à quel point il dessinait

---

1 Mediapart.fr, 27 juin 2010.

mal? Fi de toute cette supercherie! L'homme est ainsi fait: il ne voit que ce qu'il veut voir. Toujours dans cette logique partisane, les questions orientées et fastidieuses cherchent à faire avouer aux familles de l'aristocratie italienne ou du négoce bordelais leur passé trouble lors de l'occupation allemande. En ombres peu discrètes se distingue cette même volonté de dénoncer un « cryptofascisme », comme Jonathan Nossiter le nomme modestement. Comprenez: ceux qui s'adjoignent les services d'un œnologue consentent à encourager le pire. C'est ce qu'il déclara dans *Télérama*: « Dès l'instant où l'on dit être tous d'accord sur la manière d'éliminer les défauts, que l'on parle du vin ou d'un être humain, on sombre dans le fascisme. ». De la même façon, les géants de la mondialisation tueraient les particularismes des terroirs en inondant les linéaires de produits identiques. Mais là encore, la réalité du marché est infiniment plus compliquée.

Fort de son succès, et toujours décomplexé, notre Sisyphe changea de rocher et eut des velléités d'écriture. Les eaux mortelles du narcissisme ne l'avaient pas encore englouti. Bien au contraire, il prenait de la graine et ne savait où donner de son talent. Y a-t-il un registre dans lequel l'hyperactif n'ait pas fait la démonstration de ses aptitudes? Dans son livre *Le Goût et le pouvoir*[1], poisseux de clichés et de redites usées sur le formatage du goût, il poursuit son investigation, plus féroce que gourmande, dans les caves et les restaurants parisiens. Il retrouve ses grands chevaux de bataille et sa moulinette purificatrice. Pour donner un petit aperçu de l'élégance, citons cette conversation entre Jonathan Nossiter et Jacques Dupont, aussi bien accordés que deux instruments dans un

---

1 Grasset, Paris, 2007.

orchestre de chambre :

« Jacques. – C'est vrai qu'il y a eu des menaces de procès contre le film ?

Jonathan. – Plusieurs, dans plusieurs pays… mais aucune n'a abouti. Pour une raison très simple : ce qui est sur l'écran est transparent.

Jacques. – Michel Rolland est fâché aussi contre moi […]. À l'époque, il a largement contribué à faire évoluer le vin dans le bon sens. Aujourd'hui, il donne cette impression d'un mec qui a besoin de reconnaissance sociale et qui se la pète. Il est comme beaucoup d'hommes, comme Bernard Tapie et comme plein de mecs qui ont envie de montrer qu'ils ont une plus grande zigounette dans la cour de récré. On est devenu chez Gombrowicz, dans la sphère de son livre *Ferdydurke*, où le héros est condamné, adulte, à revivre ses années de lycée. »

Qu'on nous pardonne d'interrompre la volupté de ce dialogue de haute tenue. Gracieuses et délicates, ces histoires de « zigounette ». Tout le monde en conviendra. On se surprend à rêver à d'autres critiques. Même plus le plaisir d'être opprimé par quelque chose de grand. Faut-il que je consulte ? J'ignorais que je souffrais de névroses post-pubères, comme j'ignorais que Jacques Dupont était un fin psychologue lettré. La force génésique du critique du *Point* devait-elle me complexer ? Un affreux doute m'étreignit. Devrais-je lui faire compliment d'avoir prononcé ces paroles méditantes ? Une certitude en revanche : le cinéaste américain avait trouvé des émules, ou plutôt il se servait des autres pour décocher quelques méchancetés supplémentaires. Est-ce cela l'intelligence ? Et parle-t-on de l'intérêt des amateurs ? Le dénigrement des individus n'est certainement pas la meilleure façon d'accéder au vin. Comme le reconnaît Jacques Dupont dans *Choses bues*[1] : « On balance avec l'écran presque total de l'humour [...] les pires vacheries distillées sur l'air de la blague. » C'est vrai qu'il faut avoir beaucoup d'humour pour supporter le sien. Qu'on est loin du brio de Victor Hugo dans *Choses vues*[2], qui n'avait pas besoin, lui, de s'expliquer pour convaincre de son talent.

Dans son livre, sorte de grossesse verbeuse, Jonathan Nossiter va plus loin dans la dénonciation mais se dérobe à toute contre-expertise[3]. Toujours pondeur de clichés, il se contente de mortifier ceux qui ne partagent pas son opinion. À la trappe tous les amateurs de vins « complaisants », « opulents », « confiturés », « ultraconcentrés », « bodybuildés », « faits pour le concours et non pour le plaisir ». Diable, on espérait plus de lumière ! Qu'est-ce que le plaisir ? Qu'est-ce qu'un bon vin ? Comme l'auteur n'a pas de réponses, il fuit lâchement dans l'abstraction. Ainsi de cette définition qui n'en est pas une : « La beauté du vin tient à ce qu'il peut nous mener sur une infinité de fausses pistes. » Allez comprendre ! Le terrien rustre que je suis ne saisit pas les subtilités d'une telle pensée. Mais l'évangéliste a dans sa musette d'autres arguments de poids. Le voilà lui aussi poète

---

1 Grasset, Paris, 2008.
2 *Choses vues*, posthumes, 1887 et 1890.
3 Michel Bettane le constatait : « Jonathan Nossiter, le réalisateur de *Mondovino*, est certainement un magnifique cinéaste, sensible, cultivé, maître d'un art où l'artifice et la manipulation par l'image font partie de la créativité et sont acceptés par le public comme l'essence même de la communication entre l'artiste et lui-même. Mais la pensée et la langue écrite c'est une autre paire de manches. Dans un film, on obtient par des copiés-collés bien ajustés un montage de qualité et une illusion de continuité dans la narration, dans un livre de réflexion, comme celui qu'il vient de publier, si les présupposés sont flous, contradictoires et encore plus s'ils sont faux, on ne construit qu'un château de cartes s'effondrant au moindre souffle. » Blog APV (Association de la presse du vin) du 19 novembre 2007.

lyrique, dévidant sur le terroir, ce joli concept fourre-tout[1]. Et toujours ce culte du passé, comme un aveu d'impuissance : « Le terroir, pour être nourricier, doit être localisé sans être fermé. » Des propos merveilleusement approximatifs. Le pire, c'est qu'il alourdit encore la sauce par le sérieux dont il est incapable de se départir. Ce monsieur n'a pas d'humour. C'est son autre infirmité.

Mais prenons le large. Oxygénons le débat, si je puis dire. Ce message de propagande, repris par Jacques Dupont, Périco Légasse et tant d'autres, possède une gravité autrement plus inquiétante. À la sortie du film, les journalistes ont été poussés malgré eux à prendre un parti tranché. Après le livre, beaucoup étaient dans la cour de Jonathan Nossiter, peu dans l'opposition. On le sait, les voix les moins nombreuses sont aussi les plus fragiles. Je conçois tout à fait qu'on n'aime pas mes vins, même s'il n'est pas interdit non plus de les apprécier. Mais lorsque la critique dérive sur l'homme et remet en question son intégrité professionnelle et morale, le phénomène mérite d'être interrogé et dénoncé.

Je suis fatigué des amalgames « fusionnels » et des messages à coups de marteau-pilon. C'est ainsi que le goût se criminalise et se politise. Il faut se méfier. La rééducation n'est pas loin. Les rotatives crachent le venin aussi vite que l'encre. Et ce discours comminatoire continue

---

1 Sur le même blog, Michel Bettane écrivait : « De même la notion de terroir est une construction mentale stupide dans le discours de bien des "terroiristes" : le terroir n'est pas une réalité de nature, mais un concept forgé par l'homme et intégrant l'homme dans son contenu. Sans un homme pour le travailler et élaborer à partir de ses fruits un produit au caractère individuel, le terroir n'est qu'une "terre" et n'importe quelle terre en vaut une autre. On est bien loin alors de la capacité de distinguer les terroirs entre eux, dogme de base de la religion de ces "terroiristes". »

d'infecter les esprits. Ainsi, en 2010, une grande dame de la chanson française, passionnée de vins, eut ces paroles si peu hardies dans une interview accordée au *Figaroscope*: « Je me méfie instinctivement de ce que véhicule Michel Rolland. » Puis, interrogée sur ses bouteilles de prédilection, elle cita préférentiellement Pape Clément, Fombrauge, La Tour Carnet, Smith Haut Lafitte et Casa Lapostolle, des vins que j'élabore depuis des années... Je lui ai écrit pour le lui faire savoir. Elle m'a courtoisement répondu. Dans les dernières lignes de sa lettre, elle reconnaît: « Je sais que le film de Nossiter est de parti pris ».

Quel choix judicieux du réalisateur-écrivain que de jouer sur la peur ancestrale de l'invasion et la perte des repères identitaires! Lui qui dénonçait le monde frelaté des affaires avait trouvé là une cause juteuse. La « bonne conscience » se révélait très rentable. Tous ceux qui voulaient résister à la standardisation du goût pouvaient s'unir à lui et, au passage, grossir son portefeuille. Il était devenu indispensable; il saurait nous en persuader par une campagne de presse savamment orchestrée: télévision, radio, journaux. Mais *Mondovino* fut son seul succès. Son dernier film *Rio, Sex Comedy* fut boudé tant par le public que par la critique, laquelle réalisait enfin que l'homme manquait de nuance[1]. Il était devenu son propre poncif. Triste fatalité pour ceux qui ne savent pas se renouveler et qui bâtissent leur audience sur des vindictes. Au début, les gens le voyaient tel qu'il s'imaginait. À la fin, ils l'ont pris pour ce qu'il était. D'ailleurs, dans le milieu du

---

1 Ainsi Guillaume Loison, dans *Chronicart*: « La faute à la mise en scène, d'abord sarcastique vis-à-vis du personnage, puis rapidement séduite par ses pérégrinations lunaires, soumise comme un petit toutou, au point d'occulter tout le reste – les Brésiliens et les pauvres, tous réduits à des clichés grotesques, instrumentalisés jusqu'au trognon... »

vin, personne ne parle plus de lui, et ce, même dans son pays d'adoption, le Brésil. J'ai pu le constater lors d'une récente conférence de presse que j'ai donnée en 2010 à Sao Paolo. Lui qui se rêvait en homme complet – sommelier, cinéaste, écrivain – connaît la pire des barbaries : l'oubli. L'intelligence serait-elle passée sous le canapé ?

À moins qu'elle ne se soit dissoute dans ses grandes formules dont il était passé maître. On lit dans *Le Goût et le pouvoir* : « Ici [un restaurant parisien], tu invites les gens à participer au plaisir des goûts adultes, avec la salinité, la minéralité, l'acidité, tandis que la plupart du monde nous amènent vers le goût de l'enfant et du sucré. C'est de l'infantilisation. C'est Berlusconi, Bush, Sarkozy. C'est la démagogie du facile, de l'enfantin. » On remarquera que le dogmatisme est soutenu par un échafaudage théorique aussi lourdingue qu'un cuvier en béton. À force de pousser jusqu'à la dernière goutte l'intellectualisation de son discours, il l'a vidé de tout sens. Il aurait pu faire sienne cette phrase de Stendhal : « J'ai un talent malheureux pour communiquer mes goûts. »

Grand pourvoyeur de finesse devant l'Éternel, il continue d'assener des vérités grosses comme des foies cirrhosés. Mais il ne comprend rien au vin ; à mesure qu'on avance dans la lecture, on mesure sur quel fond babillant, ignorant et vaniteux s'est développé son argumentaire. Le public des amateurs de vin – il faut le rappeler – est composé d'individualités contrastées. Se requérir d'un seul goût, en l'occurrence celui de l'acidité, c'est imaginer qu'il existe une perception globale du groupe et condamner les différences au silence, c'est-à-dire à la mort. D'ailleurs, qui se plaindrait d'avoir de l'enfance en bouche ? Il est bon de sentir le passé dire son mot au fond d'un verre. En dégustation, les réminiscences, qu'elles viennent de l'enfance ou d'un autre temps, sont toujours en embuscade. Faudrait-il que le plaisir soit coupable et le bon goût, l'apanage des donneurs de leçons ? Seul le public décide et consacre les vins. Ne cherchons pas de raisonnement, préconisait déjà Molière, pour nous empêcher d'avoir du plaisir.

La rapidité d'exécution des jugements est si peu de choses au regard du patient apprentissage du métier d'œnologue, d'une pratique de trente-cinq ans, au jour le jour. Dommage que la jalousie ne remplace pas la compétence ! Dans sa tour d'ivoire, le janséniste altermondialiste n'adore que lui-même. Un peu de modestie s'imposerait. Il fait partie de ces journalistes qui, pourvu qu'ils aient une caméra ou un stylo à la main, prétendent dévoiler nos tares et nos blâmables intentions, tout en sachant que leurs cibles ne disposent pas de tribune pour répondre à leurs attaques. Ils n'ignorent pas non plus que leur pouvoir est aussi redoutable que celui qu'ils prétendent dénoncer. Ces imprécateurs à gros sabots répètent ce qu'ils croient savoir. Et c'est là le danger. Mais, rassurons-nous, les vérités de fait sont toujours plus fortes que les vérités d'opinion, les abnégations moins puissantes que la chimie.

Cuvant le fiel plus que la vertu, ceux-là possèdent une influence qui dépasse largement leur compétence mais qu'ils se préoccupent de garder, le plus souvent en entretenant l'indignation et l'anxiété. Ces prêcheurs de guerre se posent en guides alors qu'ils ignorent tout ou presque de la profession, comme en atteste la tentative tragicomique de Périco Légasse. Cet ancien chauffeur, devenu critique gastronomique, a eu récemment des velléités de vinificateur. En 2010, une stagiaire de mon laboratoire m'a porté quelques échantillons du vin élaboré par « notre tonitruante star médiatique ». Voulant me renseigner, j'ai lu dans une gazette : « La ville cherche à faire revivre le vin à Suresnes depuis plusieurs années, mais ne veut surtout pas changer cette activité en folklore, comme sur la butte Montmartre. Pour cela la municipalité s'est fait seconder par de grands noms pour stimuler la production viticole. Le grand critique gastronomique Périco Légasse est préposé à la vinification. »

S'il a stimulé quelque chose, ce n'est certainement pas le bon goût. Une vraie catastrophe ! Entre le discours et la méthode, il y a souvent un fossé abyssal. On ne s'improvise pas vinificateur. Notre capricant hussard *ennemi-de-la-marchandisation-et-de-la-mondialisation,* porté par sa gloire et ses belles convictions, s'était senti pousser des ailes. Mais son breuvage m'a coupé les jambes. À rendre abstème un alcoolique invétéré ! Qui aurait le courage de boire ce râpe-gueule ? De grâce, chacun son métier ! J'ai rencontré tant d'individus ; leur insistance à vouloir être assembleurs m'a toujours amusé. Ils ne devraient pas se mêler de ce qu'ils ne connaissent pas. Me revient cette pensée de Walpole : « Le monde est une comédie pour ceux qui pensent et une tragédie pour ceux qui sentent. » Et ceux qui goûtent, faudrait-il ajouter !

Il ne suffit pas de dénoncer l'imposture pour être crédible. Périco Légasse conserve une petite spécialité : les réquisitoires alarmistes. À la radio, à la télévision, dès qu'on lui desserre le licol, il bondit, gronde, gémit. Sans doute est-il convaincu qu'il ne peut se faire entendre qu'en se convulsant. La sauce prend facilement, mais les virulences cachent mal les ignorances. Pour un peu, ses conseils œnologiques finiraient en conseils de vie. Tel un cavalier étincelant dans l'Apocalypse, il est toujours prêt à partir au combat pour sauver l'humanité des « truqueurs ». Toujours à la désolation, à la catastrophe, au ressassement. Qu'il est rassurant d'être abandonné à la bienveillance inépuisable de notre insurgé permanent, qui a le goût du drame comme d'autres ont le goût de la pudeur. Ainsi, après l'affaire Giscours[1], Périco Legasse titre son article du 22 juin 1998 dans *Marianne* : « Y a-t-il encore du raisin dans le vin français ? » Voilà une question qui vous mord au sang et vous remue le fond de l'âme. On envie sa dextérité de cartomancienne affolée.

L'imprécateur irréductible poursuit sa diatribe dramatisante (difficile d'utiliser autant de nobles substantifs que lui) : « La viticulture est en train de devenir une industrie (…), elle en crève, à force de se plier aux lois du marketing et de la facilité. » Les œnologues sont ces « truqueurs » qui, par leurs agissements, entraînent « l'appauvrissement des sols consécutif au long et constant empoisonnement des terres à vigne par la chimie agricole », à « l'excès de technomécanisation des cultures et des vinifications », « aux méthodes de clonage, d'apprenti sorcier ». Ce maestro du verbe n'en finit pas de nous ravir de son érudition. Comment résister à toute cette sapience ? Mais, pour les professionnels du vin, ce discours alambiqué de notre nouveau phare intellectuel n'est que grotesque. Il a le vice des beaux parleurs, qui pensent beaucoup, inutilement, et toujours à côté. Des propos factieux, facile, faux : les œnologues n'ont jamais été férus de chimie agricole et n'ont pas plus de responsabilités dans le soi-disant empoisonnement des sols que dans le clonage. Ce dernier a été élaboré par l'INRA afin de lutter contre la dégénérescence du matériel

---

1 Amplement analysée par Claude Fischler dans *Du Vin*, Odile Jacob, Paris, 1999. Au moment de l'affaire Giscours, les dérivés du bois n'étaient pas autorisés. Après une série d'essais, ils le sont aujourd'hui dans le cadre de la Communauté européenne, et n'ont pas fait bien sûr disparaître les raisins dans le vin. Encore une réflexion d'une totale incongruité.

végétal, provoquée par des maladies à virus qui rendaient les productions aléatoires ou de faible qualité. Cette charge froide ne repose sur aucune vérité : une colère feinte qui se cherche des boucs émissaires. Comme l'aurait dit Denis Jeambar : « Chez celui-là la fourberie n'est même pas digne de Scapin. » Force est de constater que l'enflure du personnage s'éprouve jusque dans son écriture. Si le vin nous mène toujours dans l'aléatoire, notre pauvre homme, tout d'innocence scandalisée, se serait perdu. Mais de grâce, qu'il nous épargne ! Il arriverait presque à nous convaincre de boire comme au temps de Noé... Quel homme eût-il été s'il eût su écrire... Il aurait pu révolutionner et le monde des lettres et le monde des vins. Mais, en attendant, dormez, dormez, bonnes gens, l'éructant veille...

Beaucoup de critiques sont devenus des « carreaux de vitre ». On voit Jonathan Nossiter à travers. Un enrôlement douteux. La clochette quitterait-elle difficilement le cou des petits moutons ? Le talent serait-il contagieux ? Le cas du cinéaste américain et de ses acolytes est intéressant parce que symptomatique d'un état d'esprit[1]. La liste est longue de ces articles qui ne sont que de simples et grossières « criminographies », dans lesquels les vins et la vie du concepteur sont davantage *instruits*, comme un dossier

---

1 « *Le Goût et le pou*voir, c'est un peu Mondovino le livre. Une savoureuse comédie humaine de notre temps. » Serge Kaganski, *Les Inrockuptibles.*
« Nossiter lance la guerre du goût. Le danger qui menace le terroir, et donc la liberté, aujourd'hui, serait d'assister à la victoire d'un goût homogénéisé, universel. » Jacques Dupont, *Le Point.*
« Jonathan Nossiter, sauveur du vin de France. » Périco Légasse, *Marianne.*
« Tonique et savoureux. » Marc Lambron, *Paris Match.*
« Iconoclaste et attachant. » Gurvan Le Guellec, *Le Nouvel Observateur.*
« Jonathan Nossiter continue son combat contre le formatage, l'alignement sur le goût actuellement au pouvoir. » Bernard Pivot, *Le Journal du dimanche.*
« Un livre qui ne va pas plaire à tout le monde. Les sommités de l'univers de la bouteille ont découvert ce pourfendeur de la mondialisation du label et du jargon, et en ont fait leur bête noire. » Jean-Luc Douin, *Le Monde des livres.*

dans le bureau d'un juge, que soumis à une appréciation esthétique, pour être finalement rejetés au nom d'une morale sommaire et binaire. C'est bien cet esprit procédurier qui pose problème de nos jours. Que cherche-t-on à condamner à travers ma condamnation? Les donneurs de leçons me sont devenus insupportables par la place qu'ils occupent sur la scène médiatique, par leur inflexion d'assurance lorsqu'ils se font les interprètes du public[1]. Ces pourfendeurs de la facilité et de l'« infantilisation » multiplient les mises en garde en jouant sur la terreur « victimophile » et cherchent en fait à tenir en laisse les consommateurs et à orienter leurs choix. N'est-ce pas justement les considérer comme immatures?

Il demeure pourtant une vérité: les critiques jugent, les consommateurs choisissent. Je n'ai jamais braqué un revolver sur leur tempe pour les contraindre à aimer mes vins! Comment peut-on m'imaginer l'artisan de l'uniformisation quand je représente moins de 0,1 % de la production mondiale? Avec sept milliards d'individus, qui pourrait prétendre qu'il n'y aurait pas de place pour toutes les signatures? Mais le succès implique d'abord le « châtrage ». C'est pourquoi certains journalistes rapetissent, « mesquinent », cabotinent. J'ai trop de clients à travers le monde, je suis forcément malhonnête. L'équation est simple. Mon emploi du temps donne le tournis: je suis un « marketeux ». Ne cherchons pas davantage d'explications. Dénigrons, ça doit suffire. Le ressentiment véniel est devenu banal.

---

1 Comme en témoigne la présentation de son livre *Le Goût et le pouvoir* : « Le combat pour l'individualité du vin, pour la survie du goût individuel face aux forces du nivellement, du pouvoir impersonnel (surtout lorsqu'il est exercé par une poignée d'individus) est donc un combat – comme celui qui se livre dans le monde du cinéma – qui nous concerne tous. » Jonathan Nossiter.

Ainsi que l'écrivait Thomas Hardy, « la vie ne manque pas de petites ironies ». Celui qui avait choisi de donner une image caricaturale et de ma personne et de mon activité œnologique a paradoxalement convaincu beaucoup de l'efficacité de mon travail. La mise en scène de *Mondovino* était tellement outrée que son effet fut l'inverse de ce que Jonathan Nossiter avait imaginé : le film m'a ouvert mille sympathies.

Quant à ses autres dénégations, elles me semblent tout aussi infondées. Le fin dégustateur cosmopolite continue d'opposer grossièrement les bourgognes aux bordeaux opulents. Tous les goûts sont dans la nature, « d'ailleurs ce coq avait bon goût » comme le chantait Claude Nougaro. Il s'extasie devant les vins des Côtes du Rhône qui offrent « une perception contradictoire, du moins ambiguë » et nous entraînent « dans le monde de Mallarmé, Ezra Pound ou des fragments de poésies lyriques grecques ». Rien que ça ! On s'étonne de ne pas avoir osé pareil rapprochement. À mes yeux, il n'est pas plus pertinent d'opposer les bourgognes aux bordeaux que d'opposer Mozart à Beethoven. Il y a du génie en les deux musiciens, mais on peut apprécier l'un plus que l'autre. De la même façon, il existe des vins absolument remarquables issus du cépage pinot noir, comme nous avons à Bordeaux des nectars divins issus de l'assemblage merlot, cabernet-sauvignon, cabernet franc. Émile Peynaud nous avait pourtant mis en garde : « En matière de goût, on aurait tort d'être absolu. »[1]

On peut même imaginer d'heureuses fiançailles. En 2005, avec mon ami Michel Chapoutier, propriétaire dans la Côte-Rôtie, nous avons recréé, à des fins caritatives, ce

---

1 *Le Goût du vin*, p. 232, Dunod, Paris, 2006.

qu'on appelait au XIXe siècle « les bordeaux hermitagés ». Nous avons élaboré une cuvée moitié Ermite de l'Ermitage, moitié château Le Bon Pasteur. Au total, six cents bouteilles de M2 (M au carré), collision des initiales de nos prénoms. Mariage réussi. Nous avons été contraints de les étiqueter « vin de table » car les réglementations n'autorisent pas ces assemblages. Dans le métier, on le sait, les appellations[1] n'ont jamais fait les bons vins.

Comment ne pas rejeter de la même façon les déclarations de Jonathan Nossiter concernant la biodynamie : « Les plus grands vignerons français travaillent aujourd'hui en bio. Aubert de Villaine à la Romanée-Conti, Dominique Lafon et Jean-Marc Roulot à Meursault, Pierre et Sophie Larmandier en Champagne, Pierre Frick en Alsace, et bien d'autres, sont de nobles paysans qui nous mettent en relation avec la nature. Ils vont à contre-courant de ce grand mensonge de la culture du marketing et de l'industrie agroalimentaire. C'est une occasion si nous nous réveillons tous. » Les mises en garde peuvent se révéler nécessaires, mais elles ne sont pas acceptables quand elles reposent sur des mensonges. Quoi qu'en disent certains, j'accepte la critique, à condition qu'elle soit loyale et éclairée. Les savoirs antiques et la sauvegarde de la vinodiversité ne sont pas antinomiques du progrès. Le Brésilien altermondialiste, qui voulait réformer les habitudes industrieuses

---

1 L'appellation d'origine contrôlée (AOC) est un label qui identifie et protège des produits agroalimentaires (dont les vins), notamment en fonction de l'origine géographique et du respect des caractéristiques du terroir. Le label s'obtient sous le contrôle d'un cahier des charges validé par l'INAO (Institut national des appellations d'origine). Dans le cas des vins, le système de contrôle définit des centaines de secteurs viticoles différents, et accorde le label AOC uniquement aux vignes situées à l'intérieur de limites précises. Les variétés de raisins qui peuvent être cultivés dans une zone est également spécifiée, ainsi que le degré maximum d'alcool accordé à chaque vin et la production maximale de chaque hectare.

du monde viticole, la caméra sur l'épaule, aurait dû prendre le temps de parfaire ses connaissances.

Ainsi la biodynamie n'est pas synonyme d'excellence. Tout au long de ces dernières années, on a eu à déplorer de très mauvais vins, souvent à cause de sa difficile mise en œuvre. Sans céder aux amalgames simplistes et aux discours démagogues (à chacun sa spécialité), nous sommes tous partisans de la culture bio ou biodynamique, mais à la seule condition de trouver *in fine* un bon produit. S'il est certain que la culture biodynamique se révèle un facteur d'amélioration de l'environnement, personne n'a pu prouver qu'elle avait une incidence sur la qualité des vins. Les « plus grands vignerons » ne sont pas nécessairement des adeptes de cette technique. Il est navrant qu'on puisse tenir encore de tels propos. Le monde agricole se souvient de la triste période des années 1930 où produire était aussi improbable que de cueillir des cerises en hiver. Tous les efforts s'étaient alors concentrés pour combattre les maladies. S'il est vrai que des excès ont été commis, aujourd'hui nous n'en déplorons plus. Une large majorité d'agriculteurs pratiquent une lutte raisonnée qui, sans être bio, protège l'environnement et l'homme. Ne tombons pas dans l'intégrisme ou dans ce que Michel Bettane nomme le « biocon ». Le vin mérite mieux que ça. La science de l'œnologie est une lutte avec la matière ; elle nous apprend à rester vigilant avec la raison. Les effets de rhétorique n'y ont pas leur place. Seules les réalités restent obstinées.

Renouveau d'agacement quand j'entends clamer « Michel Rolland fait du pomerol dans le monde entier », ou la variante tout aussi navrante « Il fait un vin unique ». De tels propos ne reposent sur aucun fondement ; une seule dégustation suffirait à le démontrer. Quelle similitude peut-on trouver entre un yacochuya argentin (cépage malbec) et un fontenil (appellation Fronsac), et même entre un fontenil et un bon-pasteur (appellation Pomerol)? Tout au plus reconnaîtrait-on un style, comme on pourrait reconnaître celui d'un peintre en parcourant ses toiles. Mais n'oublions pas que ce qui parle avant tout, c'est la puissance d'un terroir. Je m'évertue à adapter les techniques de vinification à chaque vignoble, à personnaliser les produits en fonction des cépages. C'est pourquoi le vin produit n'est évidemment pas le même dans tous les pays. Bien sûr je rêverais de faire du pomerol dans le monde entier, mais il me reste assez de raison pour savoir que c'est impossible.

De telles arguties sont affligeantes à l'heure où existe un grand métissage de vins venus de tous les coins de la planète. Si une telle diversité nous est offerte aujourd'hui, c'est parce que l'enseignement des techniques est mieux partagé qu'autrefois. La science œnologique, en corrigeant les défauts, a permis de sublimer l'expression des cépages et terroirs dans le monde. Les journalistes, pour la plupart, ne cherchent pas à mettre en perspective, à tirer des leçons des différents millésimes[1]. Depuis une trentaine d'années, de mutations en révolutions, nous avons gagné en qualité, en distinction, en variété. La diversité aromatique suffit à prouver que le vin déjoue sans cesse la monotonie et l'uniformité. Émile Peynaud dénonçait déjà à son époque cette cécité: « On préfère le faux qui enjolive et qui est simple, au vrai qui démystifie et est toujours plus nuancé. C'est sans doute là le mécanisme de la persistance de l'erreur. »[2]

---

1 Comme l'écrivait justement Claude Fischler: « Les médias, c'est entendu, pataugent dans les arcanes et les mystères techniques du vin (…). Il faut voir comme les auteurs de certains articles ou dépêches se prennent les pieds dans les AOC, s'emberlificotent dans les distinctions entre "appellations" et "classements", "crus" et "millésimes" ». *Du Vin*, Odile Jacob, Paris, 1999.
2 *Le Goût du vin*, p. 29, Dunod, Paris, 2006.

En parlant d'erreurs, pourquoi ne pas organiser une dégustation de tous les chroniqueurs viticoles ? Une « horizontale » des plus fins experts ? N'est-on pas en droit d'avoir à l'égard de « nos buveurs très illustres » les mêmes exigences que celles revendiquées pour le vin ? L'idée enthousiasmerait de nombreux propriétaires, j'en suis sûr. Dans le Médoc, on apprend à patienter en répétant d'un château l'autre ce doux adage : « Ce qu'on pense des critiques viticoles ? Demandez aux réverbères ce qu'ils pensent des chiens. »[1] Bien sûr il ne faut pas jeter l'opprobre sur toute la presse, il y a eu en tout temps des esprits éclairés et curieux, dont la façon de comprendre, d'analyser, de goûter les vins refuse les stéréotypes et les condamnations faciles. Je pense notamment, pour ce qui est de la France, à Michel Bettane, Bernard Burtchy, Raoul Salama, Vincent Noce, Michel Dovaz, Philippe Maurange, Roger Pourteau et Michel Creignou. La liste n'est pas exhaustive. Je déplore tout de même qu'ils soient si peu nombreux.

Le triste, c'est que, pour combattre les calomnies et les imbécillités, nous répondons, nous nous révoltons et nous finissons par jouer un même jeu. Voilà pourquoi j'ai refusé pendant longtemps d'alimenter les polémiques. Mais celles-ci ont la dent dure car nos capricants, réglés comme du papier à musique, se plaisent à les entretenir, en promenant leur « bonne conscience » sur des pages impétueuses. Tout, en ce bas monde, a ses limites. Et tôt ou tard, l'indigestion menace. Cela devient presque une mesure de santé que de dénoncer les orgies de bons sentiments et ceux qui ont l'arrogance de prétendre représenter le bien.

---

1 Référence à la citation du dramaturge anglais John Osborne : « Demander à un écrivain ce qu'il pense des critiques, c'est comme demander à un réverbère ce qu'il pense des chiens. »

CHAPITRE V

Là-bas, loin de la France

« Ce qui m'a frappé le plus au monde,
c'est que personne n'allait jamais jusqu'au bout. »

Paul Valéry

L'aventure séduit celui qui s'ennuie. Je me sentais étriqué dans ma blouse blanche et dans mon laboratoire libournais. Il me fallait partir. Il s'est passé ce qui se passe toujours : on finit par appartenir à des lieux. Tous ces vins des États-Unis, d'Argentine, d'Espagne, d'Italie, du Portugal, du Maroc, du Chili, d'Inde, du Mexique, d'Afrique du Sud, du Brésil, de Bulgarie, de Grèce, du Canada, de Croatie, d'Israël, d'Arménie, de Turquie, de Suisse ou encore de Chine, je me suis senti presque immédiatement de leur compagnie.

Là-bas, loin de la France, loin d'un microcosme, on prend enfin le large. On s'affranchit, on se déniaise, on se découvre autre. En 1985 a ainsi commencé une longue ère de voyages. Que de journées passées depuis dans les avions, sur les routes, pour accéder à des bouts du monde, improbables, « indéfrichés ». Ces vastes terres autorisaient les rêves les plus fous. Quelle chance extraordinaire d'avoir un métier qui ne vous enferme pas dans l'habitude et vous oblige à relever toutes sortes de défis ! Sans doute est-il vrai que « rien n'abîme et ne condamne comme la routine ». Je le répète souvent à mes jeunes collaborateurs : le terrain réveille, bouscule, éclaire ; on se doit d'en exploiter les promesses. Tout séjour à l'étranger se révèle un accélérateur d'expériences et permet une connaissance plus hardie de la diversité, de la complexité. L'embardée dans l'imprévu combat les implacables certitudes.

Demain, pour moi, c'est souvent une nouvelle ville, un autre hôtel, une langue ignorée, des visages inconnus, des fuseaux horaires occultés. Cette adaptabilité implique aussi des sacrifices et des privations. Mes proches ont appris à ne plus s'en plaindre. Un de mes amis, presque agacé, répète depuis des années : « Toi, tu n'es pas normal. » Peut-être faut-il que je m'en réjouisse. J'ai une santé animale. Je dors n'importe où. Au sortir d'un avion, je peux entreprendre de longues séances de dégustation ou parcourir les vignobles en tout sens. Mon test favori pour éprouver la résistance de futurs collaborateurs ou de journalistes : je leur demande de me suivre dans les vignes, et j'accélère le pas. Rares sont ceux qui tiennent la cadence. Un bon œnologue, c'est d'abord des mollets saillants.

Depuis vingt-cinq ans, j'ai mené de front mon activité en France et mes voyages à l'étranger : les jours ouvrables dans l'Hexagone, les week-ends et jours fériés à l'extérieur. Diverses existences se sont ainsi entremêlées et traversées. L'emploi du temps, plus que toute autre chose, dit la vérité d'une vie[1]. Mon agenda reste effrayant, déterminé d'une année sur l'autre. Quand je le consulte, je me dis que je ne suis qu'un instrument de travail! Autant de pays, autant d'aventures et de belles rencontres. On oublie la fatigue et les obstacles. On ne conserve que le beau. Le vin est assurément le meilleur des passeports.

Les États-Unis

Printemps 1984, première visite aux USA. On m'avait demandé de présenter les millésimes 1982 et 1983 de Bordeaux. New York, Boston, Chicago, San Francisco, Dallas, Houston, Washington. Des villes gigantesques, fourmillantes, démesurées, des villes « debout ». Une révélation. Mon Pomerol me semblait bien exigu et surtout très horizontal. Je reviendrais, je le sentais, mais comment établir des contacts à l'étranger? La réponse allait venir dans une lettre en 1985: l'œnologue Zelma Long et son assistant Paul Hobbs[2], en charge d'une *winery* située à Healdsburg en Sonoma (Californie), souhaitaient me rencontrer à Libourne et participer à des dégustations. Rendez-vous fut pris. Je m'y rendis accompagné de mon unique collaborateur, Christian Very, qui parlait anglais. Le mien étant indigent, c'est lui qui leur fit découvrir les propriétés de la rive droite. Au château L'Évangile, madame Ducasse, alors propriétaire, nous a accueillis superbement. Puis, nous avons déjeuné à l'Hostellerie de Plaisance à Saint-Émilion. Au cours du repas, l'œnologue

---

1 Expression de l'historienne Mona Ozouf.
2 Il devint quelques années plus tard un grand consultant aux États-Unis.

149

de Simi Winery, appartenant au groupe LVMH (Moët Hennessy Louis Vuitton), me proposa de venir en Californie pour les conseiller. Robert Parker, dont la renommée grandissait, leur avait dit quelques mois plus tôt : « Vos chardonnays sont intéressants, mais, pour les rouges, des progrès s'imposent. » À la question : « Que peut-on faire ? », il avait répondu : « Il y a un jeune homme à Bordeaux qui semble bien réussir, allez le voir. » Et pourtant, en 1985 mon activité se cantonnait au laboratoire ; on ne sollicitait pas encore mon conseil.

Février 1987, je m'envolais pour la Côte Ouest. En ce temps-là, je n'imaginais pas pouvoir quitter Bordeaux. On se croit toujours indispensable. Simi Winery payait le billet d'avion et avait fixé mes honoraires à 250 dollars la journée. Les ennuis commencèrent quand il s'est agi de communiquer : mon anglais scolaire s'était totalement évaporé. Heureusement, j'avais à mes côtés une interprète, Colette Drape, qui, passionnée de vin, maîtrisait les subtilités du vocabulaire de la dégustation. Par la suite, parallèlement à mes interventions de consultant, j'appris la langue à la faveur de longues séances d'assemblage. Deux ans plus tard, je possédais un anglais rudimentaire qui me permettait d'échanger avec les employés de la cave. Colette Drape est malheureusement décédée en 1991 dans un accident de la route à Bordeaux. Elle venait d'avoir trente et un ans. Encore une mort dans le désordre des choses.

La Californie, j'en rêvais depuis longtemps. Je ne fus pas déçu. Je découvris l'incroyable énergie déployée au travail, une opiniâtreté que nous avions déjà perdue en France. Dans ce pays, tout semblait possible. Mes débuts furent donc austères du point de vue de la communication, mais professionnellement si prometteurs. J'ai eu envie à ce moment-là d'exercer le métier de consultant à travers le monde entier.

Je retournais à Healdsburg en septembre 1987 pour assister au début des vendanges. Comme le voulait la tradition, le prêtre était présent, ainsi que tous les employés de la cave, pour la bénédiction des premiers raisins acheminés dans le chai. Il existe un même cérémonial en Bulgarie, avec les popes orthodoxes.

En Californie m'apparut une réalité stupéfiante, certes répandue à l'étranger : la séparation de la viticulture et de l'œnologie. Dans la *winery*, personne ne connaissait l'origine des grappes. J'en ai déduit que l'œnologue ne s'était jamais rendue dans les vignes et n'avait pas procédé à des analyses permettant d'évaluer la maturité des baies. Quand je fis connaître mon intention de goûter les raisins, tous m'ont regardé avec des yeux ébaubis. Effectivement, Zelma n'avait pas imaginé que l'expertise commençait sur le terrain. L'après-midi de ce même jour, j'arpentais les rangs de chardonnay, dont je n'avais pas la responsabilité de vinification, en montrant à Zelma les gestes et les méthodes, que l'on pourrait adopter ultérieurement pour les cépages rouges.

Toujours en 1987, par l'entremise du négociant américain Jeffrey Davies, je rencontrai à Bordeaux, au Bistrot du Sommelier, deux personnages singuliers : Suha Newton et Oz Clarke. La première dirigeait avec son mari Peter, Newton Vineyard à Napa Valley (Californie). Elle avait noté sur une feuille une trentaine de questions, certaines pertinentes, d'autres simplistes. Le second personnage, le critique anglais Oz Clarke, allait se glisser discrètement dans cet interrogatoire aussi insolite qu'inattendu. Jeffrey Davies, parfaitement bilingue, s'improvisa traducteur.

L'échange, tout en étant sérieux, ne manqua pas de drôlerie. J'ai su quelques semaines plus tard que l'opiniâtre Suha Newton avait rencontré tous les œnologues de la région et confronté leurs réponses. Je fus « l'élu ». Face à cette femme inquiétante et détonnante, les autres impétrants avaient dû déclarer forfait. Notre aventure professionnelle commune durera vingt ans, jusqu'à la vente de la propriété. J'aurais à mes côtés un *winemaker* intelligent et rigoureux, John Kongsgaard, dont le père était le célèbre et redouté juge du comté de Napa. J'ai connu là de grands moments dans ma vie de consultant. Et de cette belle connivence sont nés des vins de grande qualité.

Peter Newton avait planté beaucoup de cabernet franc, mais les vins ne se révélaient jamais satisfaisants. En 1991, avec John, nous lui avons demandé carte blanche. Nous décidâmes alors de baisser sévèrement la production par pied. Le résultat fut exceptionnel. Je revois Peter m'implorer amicalement : « Vous êtes sûr que l'on ne peut pas produire un peu plus tout en garantissant la même réussite ? » Le vignoble Newton, avec ses pentes et ses contrepentes, demeure l'un des plus difficiles à cultiver à Napa mais il possède un grand potentiel. Il est regrettable que le groupe LVMH, actuel propriétaire, se soit départi de cette exigence qualitative.

En 1987 encore, je fis la connaissance de Bill Harlan, homme d'affaires propriétaire de Merryvale Winery dans le pittoresque village de St. Helena et d'un petit vignoble encore jeune dans le secteur d'Oakville. Avec lui commençait une fabuleuse histoire, pour les vins, la vallée, et nos deux familles, toujours proches. Bill Harlan avait une idée simple : élaborer le meilleur vin de Napa Valley. Avec l'œnologue du domaine, Bob Levy, nous avions toute liberté. Malheureusement, 1988 ne fut pas une bonne année en Californie, malgré tous les efforts déployés tant dans la vigne que dans la cave. Je fus contraint d'avouer à Bill Harlan : « Ce millésime n'est pas du niveau que vous souhaitez. » Je redoutais sa réponse : « C'est vous qui n'êtes pas assez performant, retournez à vos études ! » Ce ne fut pas le cas. Vingt-trois ans plus tard, en plus d'une *success story*, c'est une franche amitié qui nous lie, Bill Harlan et moi. Au fil du temps s'est également instaurée une relation de confiance et d'estime avec Bob Levy, solide comme un roc, la tête aussi dure que la mer est salée. Harlan Estate jouit aujourd'hui d'une très forte notoriété. Sans doute la plus belle verticale des vingt derniers millésimes, tous pays confondus. Demeure, pour moi, une évidence : les affinités humaines sont indispensables pour créer un produit de distinction.

Quand j'ai travaillé avec Bill Harlan à Napa Valley, l'assemblage s'est trouvé investi d'une visée nouvelle : la recherche du rare et de l'excellence. Il ne s'agissait plus de prendre en considération les contraintes économiques. La spécificité de cet homme est de croire toute innovation possible et d'inciter ses interlocuteurs à se surpasser. Notre énergie, nous devions la déployer à élaborer un cru d'exception. Nous n'avons pas ménagé nos efforts. De cette démarche esthétisante et sévèrement élitiste allaient naître en France les vins de petite production ou « de garage », comme les baptiseront les journalistes. Ces vins n'étaient pas destinés à être commercialisés ; ils devaient servir à expérimenter de nouvelles techniques viticoles et œnologiques. L'objectif était de mieux comprendre les gestes qui nous permettraient de nous rapprocher de la perfection.

Au début de ma carrière, les assemblages étaient plutôt simples à Bordeaux : l'œnologue suivait les injonctions du propriétaire, qui lui demandait d'écarter la cuve la plus grossière. Immanquablement, ce dernier glissait à la fin de la séance : « Ne croyez-vous pas que l'on puisse rajouter la moitié de cette cuve ? » Plus de volume, c'était plus d'argent. La plupart du temps, nous nous exécutions, puis nous passions à table. Un repas soigné et de bons flacons nous attendaient. La qualité aussi ! Ce fut dans les années 1990 seulement qu'on saisit l'importance de la sélection parcellaire, de l'aménagement des chais en fonction de la taille des cuves et des surfaces cultivées. On comprit alors que plus on créait de lots différents, plus on complexifiait l'assemblage. Durant la décennie suivante, on a vu se multiplier les seconds vins et les quantités augmenter dans chaque château.

Aujourd'hui, l'objectif est d'accroître la production du premier vin, par un important travail en amont, du vignoble à la cave. Toutes les propriétés possèdent maintenant des cuves de différentes capacités. Normalement, les raisins récoltés sont répartis dans ces contenants en fonction du cépage, de l'origine, des parcelles, de l'âge des vignobles. Une fois la fermentation terminée, chaque domaine dispose d'un certain nombre de lots, qui se décomposent en vin de goutte et vin de presse. Pour cette dernière catégorie, on distingue des qualités A, B ou C, préalablement attribuées lors d'une dégustation. Les échantillons sont ensuite soumis à l'assembleur : ce sont leurs caractéristiques gustatives respectives ainsi que les synergies entre elles qui donneront le résultat espéré. Une autre vérité : le mélange des meilleurs lots n'aboutit pas au meilleur vin.

La notion d'assemblage appelle quelques précisions. L'œnologue détermine les volumes au pourcentage près et écarte les échantillons qui ne s'inscrivent pas dans le

profil recherché, quitte à recevoir les foudres des propriétaires. Ceux-là mettent toujours la pression, pleurent les
presses délaissées. Par esprit de rigueur, les lots ont été
goûtés le plus souvent quatre ou cinq fois avant la dernière
séance. Ce n'est qu'après plusieurs mois d'élevage que
l'on peut réellement sentir l'évolution des vins et leur
capacité de réaction dans les cuvées. Je suis contre les
assemblages trop précoces qui limitent la précision du
produit fini.

L'assemblage s'échafaude comme un tableau. Qu'il y
ait cinq ou cent cinquante échantillons, le principe reste
le même. Quand ils sont en grand nombre, on établit « des
familles de vin » : il s'agit de regrouper les fruités, les tanniques, les charnus, etc., de manière à déterminer une
quantité et une diversité de lots qui permettent ensuite de
les marier. Ce classement peut exiger parfois deux ou trois
heures avant de procéder au dernier mélange. Cela
demande une grande concentration, presque anormale.
Mais plus on goûte, plus on devient performant[1].
Naturellement, des aptitudes sont requises : une acuité
gustative et une puissante mémoire.

L'assemblage fait aussi sa part au mystère. Il témoigne
de la profusion aromatique d'un univers qu'on a peine à
circonscrire et qui se démultiplie sans cesse. Il y aurait
presque une poétique insciente, mais aussi de la créativité,

---

1 « Le dégustateur le plus doué tire plus d'informations de son cerveau, il com-
munique mieux ses sensations, utilisant toute la richesse de son expérience et
de sa mémoire pour mettre des mots sur ce qu'il sent. Il n'y a qu'une seule
mémoire et qu'un seul plaisir. Les exercer permet de connecter davantage de
neurones au service du goût », Patrick Mac Leod, président de l'Institut du goût,
qui travaille sur la compréhension des mécanismes de l'olfaction et de la dégustation en recherche fondamentale depuis cinquante ans, in *Le Journal du
dimanche*, 4 décembre 2011.

de l'intuition, de l'imagination. Il faut rêver des accords pour qu'ils se concrétisent et les connaître pour les imaginer. Goûter n'est encore rien si on ne sait deviner. Je dirais qu'il faut être dans la confidence pour qu'un vin se mette à vous parler. C'est souvent l'émotion qui dicte les choix. Lors de la dégustation, les arômes se donnent ou se font attendre, d'autres circulent, se poussent, se transforment, reviennent, ou encore abdiquent. On se doit d'en imaginer la puissance future ou, au contraire, le possible déclin. Tel le parfumeur, on est en quête du meilleur équilibre. Ainsi, on peut créer des vins baroques ou avec d'autres typicités, en privilégiant par exemple des combinaisons paradoxales. L'harmonie naît aussi de dissonances. C'est pourquoi l'assemblage échappe à toute recette et à toute logique réductrice. Provocant comme une énigme parce que les réalités physiques et immatérielles se télescopent. Un art heureux de la contradiction, pourrait-on dire. Cette étape ne supporte ni les cafouilleux ni les charlatans.

Mais revenons à la Californie où l'assemblage a pris tout son sens. Je devins ensuite le conseil de St. Supéry, appartenant à la famille Skalli, puis de Mondavi. Avec Tim Mondavi et son œnologue française, Geneviève Janssens, les dégustations et les réunions étaient efficaces, formatrices, électriques. Le hasard n'avait pas sa place. À la fin des années 1990, je fus sollicité par Agustin Huneeus pour intervenir à Franciscan. La société souhaitait également mon expertise dans le magnifique projet de cave « Quintessa », où je travaille encore avec Agustin Junior.

À la fin des années 1980, le phylloxéra, qui avait ravagé les vignes françaises à la fin du XIXe siècle, dévasta tout aussi systématiquement les vignobles de Napa. Ce sombre épisode s'est révélé finalement bénéfique quand il s'est agi de replanter. Beaucoup ont fait l'effort de changer de mentalité : désormais les vignes seraient palissées et posséderaient une forte densité. Un nouveau *look*, comme ils disent là-bas. Clairvoyant, David Abreu a été le chef de file de cette reconstruction. Nouvelle star de la viticulture, il sera par la suite responsable de nombreux vignobles de Napa. Il fut le premier à mettre en œuvre tout un arsenal de procédures culturales, connues en France depuis de longues années : la densité de plantation, la recherche de porte-greffes et de cépages appropriés aux caractéristiques physiques des sols et au découpage des parcelles.

C'est une méprise humaine qui fut à l'origine du désastre commis par le phylloxéra, cet insecte du diable, ainsi qu'on le désigne dans le Médoc. Le porte-greffe AxR, issu du croisement de l'aramon et du *rupestris*, aurait dû être, selon les scientifiques, la révélation de la viticulture californienne. Fi des avertissements sur la sensibilité de l'aramon, qui fragilisait le coupage et n'assurait plus l'immunité suffisante contre l'hétéroptère dévastateur. Nous avions connu pareille bévue dans les années 1970 à Bordeaux avec l'utilisation du porte-greffe SO4. Le progrès annoncé comme « magique » pour les vignobles se révéla dramatique : développement de maladies inhérentes à ses sensibilités, surproduction liée à sa vigueur, raisins médiocres.

En 1991, les vendanges à Bordeaux étaient si ennuyeuses que je décidai d'avancer mon voyage en Californie au mois d'octobre. Une initiative que je n'avais jamais prise à cause d'un emploi du temps serré qui offre peu de souplesse. Zelma Long accueillit la nouvelle avec bonheur. Elle avait quelques inquiétudes depuis que Simi Winery, dont elle était devenue la présidente, avait placé un jeune œnologue aux manettes. Avec Nick Goldsmith commença une collaboration qui durerait une douzaine d'années. Ce fut un beau millésime 1991 en Californie, mais très tardif. En octobre, je goûtai beaucoup de cabernet-sauvignon encore sur pied. Une expérience nouvelle, qui se révélerait très utile quand il s'agirait de rechercher la maturité optimale. J'en déduirais que le raisin évolue toujours, même lentement. À l'époque, on avait arbitrairement établi que la maturité était atteinte cent-dix jours après la demi-floraison et quarante-cinq jours après la demi-véraison. Une ineptie : les cycles sont variables d'un millésime à l'autre.

En 2000, Araujo me demanda d'être le conseil de sa *winery*, proche du village de Callistoga, avec un vignoble fameux, Eisele. Bart et Daphne, les propriétaires, exerçaient déjà un contrôle permanent et rigoureux afin de produire certainement l'un des vins les plus élégants de la vallée. Une propriété me sollicita cette même année : Staglin Family, domaine réaménagé sur les conseils de David Abreu, avec une cave creusée dans la colline. Aux premiers mots échangés, je fus charmé par l'enthousiasme et le dynamisme de Garen et Shari Staglin, amateurs d'art et de musique. Incontestablement des pionniers dans le monde du vin : ils ont utilisé l'énergie solaire, non pas par économie, mais par respect de l'environnement.

L'aventure américaine semblait ne pas avoir de fin et ce n'était pas pour me déplaire. Beaucoup de projets voyaient le jour à Napa[1]. J'y serais associé : Harlan Estate, Araujo, Staglin, Sloan, Dalla Valle, Bryant Family, Jonata, Ovid, Alpha Omega, Bond, Napa Valley Reserve, Dancing

---

1 Napa signifie « terre d'abondance » dans la langue des indiens Wappo, qui furent les premiers habitants de la vallée.

Hares, Viader, Screaming Eagle, Beaulieu Vineyard pour sa cuvée Georges de Latour. Je jubilais. Je n'avais pas imaginé que le Far West, qui m'avait passionné avec ses histoires de cow-boys et d'indiens, serait aussi important dans ma vie professionnelle.

L'Argentine

« Elle est là où sont la musique et le bleu du ciel. »[1]

Jorge Luis Borges

L'Argentine, c'est un bout de ma chanson. L'histoire commence en 1987. Un soir, à mon domicile, je reçus un appel téléphonique de Madrid. Avec un accent caractéristique, un homme s'évertuait à m'expliquer qu'il était producteur de vin dans ce grand pays d'Amérique du Sud et qu'il souhaiterait que je le conseille. Une conversation surréaliste : comme tous les Bordelais qui s'aventuraient aux frontières de la péninsule Ibérique, mon espagnol se limitait à quelques mots usuels. Mon interlocuteur, Arnaldo Etchart, ne parlait ni français ni anglais. Après avoir raccroché, je me souviens avoir dit à mon épouse : « Il est argentin, il parle de vin et veut que je le rencontre, mais à part ça, je n'ai rien compris. Dans tous les cas, ce sera un beau voyage ! »

Février 1988, Buenos Aires. Nous avions rendez-vous avec les trois frères Etchart : Arnaldo, Moro, Sergio. Trois gentlemen se présentèrent, élégamment costumés et

---

1 En parlant de Susana Bombal.

cravatés, qui nous conduisirent au Jockey Club, institution de la capitale. Étaient également conviés à dîner le plus célèbre critique gastronomique et viticole du pays, Miguel Brasco, ainsi que sa consœur journaliste, Lucila Goto. Fort heureusement, ils avaient tous deux quelques connaissances de français. Nos échanges s'annonçaient plus sereins. Premier épisode cocasse de la soirée : Arnaldo demanda à mon épouse ce qu'elle pensait du service du vin. Nous étions en février, c'est-à-dire le plein été dans l'hémisphère Sud. Le vin était chambré, non comme dans les châteaux français à 18 °C, mais comme dans les immeubles modernes, à plus de 25 °C ! Certes, des circonstances banales et courantes de dégustation à l'époque. Il n'était pas dans la culture des pays du Nouveau Monde de servir les vins à la bonne température. Qu'il fut malaisé de convaincre les serveurs de mettre les vins rouges dans un seau à glace ! Arnaldo dut user de toute son autorité.

Dès le lendemain, vol pour Salta, à mille deux cents kilomètres de Buenos Aires. L'Argentine, c'est si grand ! Avant de nous rendre à la propriété, nous avons visité la ville de fond en comble, en compagnie des notables locaux : le prêtre, l'architecte, les commerçants. Le lendemain, nous découvrions Jujuy, Humahuaca… Des cités sans âge. Des paysages époustouflants. Nous partîmes ensuite en voiture avec Arnaldo Junior (en Argentine, l'aîné porte toujours le nom du père). Les cactus, tels des gardes immobiles, semblaient nous attendre. De tout ce qui nous entourait, rien ne paraissait vrai, tant c'était beau. On avait la respiration suspendue devant ces roches qui, sur les contreforts de la cordillère des Andes, retiennent toutes les couleurs de l'arc-en-ciel.

Seule inquiétude : où pouvait-on planter les vignobles dans un pareil décor ? Nous traversâmes d'autres bourgades :

Cachi, Molinos et sa ravissante église au toit en cardon, du bois de cactus. À force de battre la campagne, nous arrivâmes dans un patelin, Animana, quasi abandonné. Quelques *casas* dont on imaginait qu'elles avaient dû être belles. Là je vis les premières vignes, avec le cépage local, torrontés, en pergola : une tradition culturale italienne que je ne connaissais pas. Quelques kilomètres plus loin se trouvait l'émouvant village de Cafayate, qui avait su préserver son authenticité avec une population métissée d'immigrants et d'Indiens des hauts plateaux. Il y avait – comme dans tous les bourgs du nord de l'Argentine – une place, un café et une église. Dans ce lieu enserré, celle-ci ressemblait à une cathédrale tant le cortège de fidèles était long. Durant les offices, les habitants se pressaient pour trouver place. La religion catholique demeure très fortement ancrée dans le pays.

Quelle fut notre surprise lorsque nous découvrîmes les vignobles : la plupart en pergola, les autres palissés. À nos côtés, toute l'équipe technique de Bodegas Etchart, y compris celle de Mendoza, venue pour la circonstance. J'avais prévu que cette première visite serait une simple prise de contact. Les vendanges avaient débuté. Je me promenai sur l'aire de réception des raisins. Première remarque : les matériels, d'origine française, étaient tout ce que l'industrie vinicole avait produit de plus désastreux. Les concepteurs de ces machines cherchaient alors à améliorer le confort des employés, certainement pas la qualité des vins. Après ces premières constatations, j'étais curieux de connaître l'état sanitaire des raisins. Belle intuition. La visite du vignoble fut édifiante : le propriétaire, le responsable du domaine, l'agronome, les ingénieurs jubilaient devant la charge des raisins qui tombaient massivement des pergolas. Moi pas. Le feuillage abondant servait de parasol aux fruits, agglutinés dans la pénombre.

L'irrigation se pratiquait par inondation, incontestablement trop importante au regard de l'abondante végétation. Il fallait cesser de telles pratiques. L'année suivante, nous mettrions en place la régulation des rendements et de l'eau. Je demandai au directeur de l'exploitation de réduire la quantité d'eau. Celui-ci a eu alors l'idée ingénieuse d'arroser un rang sur deux. Méthode efficace, qui, de surcroît, garantissait une économie de 50 %. Le système s'est développé depuis dans toute l'Argentine.

Deux jours m'ont suffi pour comprendre que les mentalités et les ambitions étaient radicalement différentes dans ce pays. Cet état de fait ne décourageait pas pour autant mes ambitions : j'avais à cœur de transformer ces vins simples et herbacés. Le charmant œnologue de la cave, Jorge Riccitelli, appliquait sagement les méthodes qu'on lui avait enseignées. Malgré son jeune âge, il s'était laissé enfermer dans une routine. Je lui soumis alors une liste comprenant une vingtaine de consignes. À la lecture, il sembla perplexe. J'ai dû lui expliquer patiemment qu'il fallait rompre avec ce mode de fonctionnement si on voulait progresser. Le lendemain, il m'annonça, avec une grande anxiété : « Je vais suivre vos instructions, mais si je suis mis à la porte, vous devrez me trouver du travail. » À sa mine déconfite, j'ai compris qu'il ne s'agissait pas d'une boutade.

Lorsque je revins au mois de juillet, Jorge Riccitelli me fit goûter, non sans fierté, les vins issus des différents essais. Parce que les résultats se révélèrent pour la plupart probants, ils fixeraient nos orientations futures. Parmi les impératifs : éclaircir la frondaison. L'ombre verte permanente dans laquelle étaient reclus les raisins m'inquiétait pour la maturité. Elle pouvait expliquer les forts goûts végétaux. Je demandai alors à Riccitelli de constituer un lot de raisins issus des premiers pieds de vigne bordant la pergola, ceux qui n'étaient pas privés de lumière. Là encore le résultat fut convaincant : des arômes beaucoup plus soutenus, moins herbacés, des composés phénoliques plus stables, et une couleur plus intense. Désormais, on éviterait les parasols de végétation en éclaircissant le feuillage, et on changerait même la taille des vignes en hiver pour laisser filtrer plus de soleil au niveau des baies. De cette expérimentation naîtra la procédure de l'effeuillage en France.

À Cafayate, avec les Etchart, nous connûmes ce qu'on peut appeler une « vie sociale » intense. L'après-midi, nous rendions visite à leurs amis habitant le village ou la campagne alentour. Un jour, nous partîmes en pleine montagne dans notre gros *pick-up*. L'endroit était insolite. Un choc rare. Des rafales de poussière sur des terres fatiguées, des lits de torrents asséchés, remplis de pierres énormes que la dernière crue avait abandonnées là. Sur les hauts plateaux des Andes, les ondées violentes charrient les galets en quantité. Nous arrivâmes finalement dans un lieu tout aussi magique : il y avait là une petite maison, enchâssée dans des blocs de pierre. En cette fin d'après-midi, le soleil éclairait de ses derniers rayons l'autre côté de la vallée. Les rochers se couvraient alors d'un grenat incandescent. Une beauté irréelle.

Nous étions à deux mille mètres d'altitude. Je demandai à Etchart s'il y avait des vignes. « Bien sûr que oui ! » Effectivement, quelques centaines de mètres plus bas n'en finissait plus de vieillir une vigne de torrontés en pergola : petite vigueur, petite production. En contrebas se trouvait ce qu'on appelle le *rancho*, dont les raisins étaient achetés par Bodegas Etchart. Subjugués, nous découvrions un vignoble hors d'âge, palissé et irrigué ! À cette altitude, seuls les Indiens pouvaient maîtriser l'irrigation : ils couraient après l'eau, détournaient les courants à la pelle, coupaient les herbes gênantes à la machette. Si nous autres, pauvres Occidentaux, avions entrepris pareils efforts, nous serions probablement morts à la tâche. Comment ne pas être sous le charme de cette viticulture surannée ?

Ma curiosité grandissait. J'étais impatient de goûter le vin. On me dit alors : « Les raisins n'ont jamais été séparés ; ils sont mélangés avec d'autres dans une grande cuve. L'accès est si difficile. Nous venons seulement quand tout est terminé. » L'année suivante, je demandai si on pouvait vinifier à part les raisins de Yacochuya. Le vin fut si exceptionnel que je recommandai l'utilisation de barriques neuves pour l'élever et ne pas l'assembler précocement. Dans cette partie de l'Argentine, on ne savait même pas que les barriques neuves existaient. Et quand les propriétaires cessèrent d'en ignorer l'existence, ils les trouvèrent trop onéreuses. La seule solution fut alors de financer le premier container avec mes propres deniers afin de convaincre définitivement mon interlocuteur de leur intérêt. Le premier grand vin argentin de l'ère moderne allait naître : il aurait pour nom « Arnaldo B » (en hommage au père d'Arnaldo). Dans ce vignoble d'une douzaine d'hectares, planté uniquement de malbec, j'élaborerai quelques années plus tard le yacochuya (du nom du lieu), toujours en association avec la famille Etchart. Ce fut aussi le premier vin du pays à obtenir la note de 95 dans le *Wine Advocate* de Robert Parker.

Lors d'une conférence aux États-Unis, à Seattle, je rencontrai Carlos Pulenta, alors propriétaire avec sa famille de Trapiche. En 1995, j'interviendrais dans cette cave mythique, deuxième productrice mondiale derrière l'américaine Gallo. Une véritable cathédrale, avec trois étages souterrains, et une cuve de 54 000 hectolitres ! Certainement la plus grande du monde. Une entreprise colossale, dans laquelle un œnologue connu et respecté, Angel Mendoza, se démenait avec une énergie rare. Il traitait une dizaine de millions de kilos de raisins, tous cépages confondus, des plus simples aux plus sophistiqués. Bien sûr je ne serais pas en charge de tous les programmes, mais seulement de la création de cuvées haut de gamme. On me demanderait de produire des vins de distinction dans les vignobles appartenant à la compagnie (lesquels étaient disséminés tout autour de Mendoza[1]) et de trouver de bons raisins chez des producteurs indépendants.

Nous avons passé de longues heures en voiture, avec Angel et Marcelo Casazza, ingénieur agronome, à sillonner routes et chemins pour goûter les fruits et donner toutes sortes de consignes aux viticulteurs, de la taille aux méthodes de vendange. J'examinais l'état sanitaire des vignes et des grappes. À cette époque, les raisins arrivaient de toute part ; on les enfournait sans se préoccuper d'écarter les pédicelles ou tout autre résidu. Comme toujours dans ces entreprises, on ne peut travailler dans le détail, mais on apprend continuellement car on est confronté à des cas de figure déconcertants. Il faut alors choisir les méthodes les moins délétères. Une belle collaboration naquit avec Angel Mendoza, puis avec Laureano Gomez, en charge de la *bodegita* où nous élaborions les petites cuvées. Une entente sans faille est nécessaire pour déléguer l'essentiel des tâches au quotidien et se concentrer sur les objectifs à

---

1 Située dans l'ouest de l'Argentine, au pied de la cordillère des Andes, Mendoza se trouve dans la région de Cuyo. En langue quechua, « *cuyo* » signifie « terre de sable ».

long terme. En quelques années, l'Argentine améliorerait de façon significative sa production. Aucun autre pays n'a accompli de tels progrès sur une si courte durée.

Au cours de mes visites chez Trapiche, je rencontrai une jeune fille œnologue, Gabriela Celeste. Une longue chevelure d'ébène, un petit corps sec, un regard noir déterminé. Ce missile sur talons ne se décourageait jamais : elle souhaitait travailler avec moi, elle savait qu'elle y parviendrait. En ce temps-là, les employés des caves et les techniciens ne rencontraient ni les œnologues ni les propriétaires. En dépit de multiples mises en garde, elle profita du premier répit dans mon emploi du temps pour m'aborder. Elle voulait absolument venir en France pour apprendre le métier et la langue. Je lui ai proposé d'effectuer plusieurs stages dans mon laboratoire à Libourne et dans différentes propriétés. Quelques années plus tard, je m'associai à l'œnologue bordelais Pascal Chatonnet pour ouvrir un laboratoire à Lujan de Cuyo, non loin de Mendoza. Gabriela le dirige aujourd'hui.

Pendant mon séjour à Cafayate, je fis également la connaissance d'une jeune admiratrice âgée de dix ans. Quand je dégustais, elle me regardait toujours avec de grands yeux fascinés. Une petite fée, au visage doux et aux bras fluets. Son sourire semblait lui manger le visage. Un soir, lors d'un dîner avec sa famille à La Florida, elle quitta sa chaise pour observer chacun de mes gestes. Je lui dis alors en plaisantant : « Tu viendras en France, tu feras œnologie… » Magdalena Vallebella est venue effectivement dans notre propriété de Fronsac, au château Fontenil, puis elle a étudié l'œnologie à Mendoza et s'est mariée avec un œnologue argentin, Rodolfo. Aujourd'hui, ils dirigent ensemble la cave de Mariflor, qui fait partie du projet Clos de los Siete.

Un projet fou, mais si excitant. En 1995, mon ami Jean-Michel Arcaute décidait de m'accompagner en Argentine. À peine arrivé, il fut subjugué par la souveraine beauté du pays. Il y entreprit aussitôt des affaires. Depuis longtemps, j'avais en tête de trouver un vignoble pour y cultiver des raisins de qualité et élaborer des vins élégants. Mon idée était d'acheter une centaine d'hectares, de les planter entièrement, de construire une cave moderne performante, dotée des dernières technologies. Pour mener à bien ce projet, nous avions besoin d'investisseurs ; deux pouvaient être suffisants. À l'époque, je me rendais en Argentine quatre fois par an. Jean-Michel y séjournait plus de temps. Nous nous mîmes en quête d'un terrain bien placé, protégé des assauts de la grêle, fléau numéro un en Argentine. Nous avons parcouru des hectares et des hectares à la recherche de notre « terre promise ». Un jour, enfin, Jean-Michel m'annonça : « Je crois que j'ai trouvé, ça va te plaire... »

Novembre 1997. Une température de 32 °C, nous laissâmes notre voiture dans un *no man's land*. Des bruits s'élevaient doucement. Quelques vaches broutaient des herbes rares. Elles semblaient tout aussi accablées que nous par la chaleur. Mais, nous, on avait l'enthousiasme. Il nous en fallait pour parcourir avec entrain cette immense étendue verte. À un moment, nous avons sauté une barrière : « C'est là ! » s'exclama Jean-Michel. Nous avons encore effectué trois longues heures de marche. Curieuse sensation que celle d'arpenter cette végétation native si dense. Dans cette campagne qui n'avait jamais vu que des chevaux et des bovins, on traversait des lits de ruisseaux, creusés par le passage des eaux de la cordillère. Suspectant que le terrain dépassait largement les cent hectares, je demandai : « Mais combien mesure-t-il ? » « Huit cent cinquante hectares », répondit tranquillement

Jean-Michel. Cette nouvelle donne changeait quelque peu mes plans : nous aurions besoin de plusieurs investisseurs. Quinze années ont passé. Je mesure aujourd'hui combien il fallait de folie pour créer de toutes pièces un vignoble dans ce décor où même les génisses ressemblaient à des limbes.

Il me faut parler de cet énergumène, Jean-Michel Arcaute, que les intimes surnommaient « Jean-Mi ». Un être-frère. On n'arrivait pas à se mentir, ou alors pas longtemps. Si différents et pourtant complices. Il avait ce sourire enjôleur qui agaçait les hommes et rendait les femmes arrangeantes. Un physique à la James Woods, avec une même étincelle d'ironie dans les yeux, comme si la vie n'était pas assez pesante pour être prise au sérieux. Dès qu'il en voyait un étriqué dans son rôle, il déclarait toujours avec morgue : « Un con péremptoire, c'est dramatique. Pour lui, bien sûr, mais surtout pour les autres. » Je ne parvenais pas à lui donner tort.

Jean-Michel Arcaute détestait la discipline, il détestait les stations-service. Il attendait d'avoir la jauge d'essence au plus bas pour daigner s'y rendre. Quand on nous sollicitait pour présenter nos vins dans la région, il proposait : « Je viens te chercher… » Immanquablement, au creux de la nuit, la voiture finissait immobilisée sur une route de campagne déserte, le réservoir vide. On dormait alors dans des hôtels de dernière catégorie, et quelquefois ensemble. Nos épouses respectives ne l'ont jamais cru. Jean-Mi, c'était le genre de bonhomme à qui le plaisir venait plus facilement que la prudence. Le sien fut pourtant de courte durée. À cinquante-quatre ans, il a été terrassé par une crise cardiaque dans les eaux du bassin d'Arcachon. Il a gagné l'autre rive, la céleste, sans avoir pu atteindre cette misérable barque qui devait le conduire à son bateau. Un des jours les plus tristes de ma vie. Une semaine plus tard, son fils décédait.

Novembre 1998 – décembre 1999, le terrain était acheté, les financements trouvés. Le 1ᵉʳ décembre 1999, premier pied posé à la main. 2 750 000 autres suivraient. Récolte en 2002. La propriété Monteviejo, appartenant à Catherine Péré-Vergé, édifia l'unique cave, qui abriterait pendant deux ans la production des autres partenaires. Il fut décidé qu'on élaborerait un vin commun, le « Clos de los Siete », nom éponyme du domaine, issu des sept domaines qui se partageaient huit cent cinquante hectares, fermés par quatorze kilomètres de barrière. Seuls quatre cent trente hectares furent plantés. Quatre autres caves seraient construites ultérieurement pour traiter les raisins produits. Toutes les *bodegas* adopteront – et ce serait là une originalité dans le pays – la gravité, les vendanges manuelles, le transport en cagettes et le double tri. Depuis une dizaine d'années, nous vinifions deux millions et demi de kilos de raisins ; majoritairement du malbec, du cabernet-sauvignon, du merlot, et dans un plus faible pourcentage, du cabernet franc, du petit verdot, du tannat, du tempranillo, du pinot noir, du chardonnay, du sauvignon blanc et du viognier. Le succès ne s'est jamais démenti pour chacun des « associés-amis » : Jean-Guy et Bertrand Cuvelier du château Léoville-Poyferré, Alfred-Alexandre Bonnie et sa famille de château Malartic-Lagravière, Benjamin de Rothschild du château Clarke, Laurent Dassault du château Dassault, Catherine Péré-Vergé de château Le Gay. Aujourd'hui, Clos de los Siete est le vin argentin le plus vendu en France.

Dans la foulée, en 1999, je conseillai aussi Salentein, Norton avec mon ami Jorge Riccitelli (auparavant œnologue d'Etchart à Cafayate), Fabre Montmayou, propriété d'Hervé

Joyaux qui fut l'un des premiers Français à s'installer près de la cordillère des Andes et à produire un excellent vin. J'ai aidé ce dernier durant quelques années, jusqu'au jour où le Clos de los Siete m'a totalement accaparé. Nous devions surveiller chaque phase des travaux : la mise en place des lots, la densité de plantation (5 500 pieds à l'hectare), le défrichage, l'installation du système d'irrigation. Il a été décidé alors de réunir les sept puits sur l'aqueduc : si une pompe tombait en panne, le lot concerné continuerait d'être irrigué. L'eau était indispensable ; rien ne pousse sur ces terres semi-désertiques. Si nous avons planté tardivement le premier pied de vigne, c'est parce que les entrepreneurs argentins avaient pris quelques libertés avec les délais. Pour patienter, on se rappelait que, dans ce beau pays, fut inventé cet adage : « Pourquoi faire aujourd'hui ce que l'on peut faire demain ? » Le vignoble, maintenant âgé de douze ans, se porte comme un charme et donne toujours de grands raisins.

Dans les dix premières années du XXIᵉ siècle ont été aménagés de nombreux terrains situés au pied de la cordillère. Les plantations n'avaient pas été envisageables auparavant car l'irrigation par inondation ne pouvait être pratiquée sur des sols à forte pente. Ce problème a été résolu plus tard avec le goutte-à-goutte. Au début des années 2000, je rencontrai Julio Viola qui a développé plusieurs projets, dont le plus important est Bodega Fin del mundo. Lui aussi a découvert et créé une nouvelle région viticole, San Patricio del Chanar, proche de Neuquén en Patagonie. Un endroit sauvage et aride, opportun pour la culture de la vigne, cette liane résistante qui aime les conditions difficiles.

Fasciné, amusé, ému, j'appréciais de plus en plus cette ville insomniaque qu'est Buenos Aires avec sa gourmandise de vie. Dans ce « Paris austral », joliment bigarré, aux quartiers chauds et grouillants, le tango s'improvise au coin des rues. Là-bas, on ne s'observe pas, on ne se regarde pas vivre : on profite de chaque instant. On a la parole facile et les œillades coquines. Nul besoin d'avoir fréquenté les mêmes écoles et les mêmes quartiers pour qu'on consente à vous sourire. Sous les guirlandes d'ampoules électriques, on s'assoit pour boire dans des calebasses du maté amer, le « thé des jésuites », et on écoute sangloter le bandonéon. Dans les *asadors*, on se régale de pièces de bœuf, grillées longuement sur de la braise, et de ris de veau citronnés, l'autre spécialité du pays. Si l'on mange la viande moins saignante que chez nous, c'est parce qu'autrefois les gens de peu ramassaient des morceaux abandonnés sur le sol, qu'ils devaient cuire longtemps pour éviter de s'empoisonner. Mes cantines préférées restent Oviedo et La Brigada. Hugo, propriétaire de cette dernière, située dans le quartier de Santelmo, vaut à lui seul le déplacement. La crinière longue et épaisse, les sourcils broussailleux, le regard et le verbe francs, voici un homme qui a de la moelle, comme on dit chez nous ! Sa taverne est devenue un antre magique pour tous les amateurs de *carne*. Je me souviendrai toujours de ses yeux pétillants lorsque je lui ai apporté le maillot dédicacé du joueur Fernando Cavenaghi. Il l'a fait encadrer. Et ma photo aussi ! Pour les Argentins, le football, c'est plus fort que la vie ; Diego Maradona fait figure de demi-dieu. Les *aficionados* du ballon rond seraient prêts à tous les sacrifices pour l'équipe nationale. Tandis que la société élégante, elle, garde ses ferveurs pour les compétitions de polo à Palermo, où vécut l'écrivain Jorge Luis Borges.

À mille kilomètres à l'ouest, dans le bas-ventre de l'Argentine, à Mendoza, avant que le soir rouge ne se pose sur les montagnes, on trinque avec du torrontés, on grignote quelques *empanadas*, chaussons fourrés de viande hachée. Mes préférés sont ceux de Victoria, la cuisinière de la *bodega* Monteviejo. J'aime aussi quand la cordillère des Andes se tait.

L'Espagne

Ma première incursion en Rioja eut lieu en 1987. J'y rencontrai un Français, Jean Gervais, propriétaire de la Bodega Palacio. Notre relation aurait pu s'arrêter là. Quand je lui demandai la date des vendanges, il m'annonça : « Le 12 octobre. » La coutume, en Rioja, était de fêter la Madone un long week-end qui réunissait les familles. Il est vrai qu'en cette région les domaines sont essentiellement familiaux. La tradition, comme souvent, empêchait la réflexion. Et les problèmes arrivaient par nuées, comme les sauterelles de la *Bible*. La cave avait été construite vingt-cinq ans plus tôt, selon des préceptes avant-gardistes : gravité, cuves autovidantes qui se déversaient directement dans la presse et qui se déplaçaient sous chaque contenant. La société qui l'avait conçue avait dû être atteinte de gigantisme. Gargantua y aurait été à ses aises. Tout était énorme : des fouloirs, prêts à avaler vingt tonnes de raisins à l'heure, aux cuves de quatre cents et cinq cents hectolitres de capacité, jusqu'à la presse continue, bien sûr. Une réalisation certes moderne mais impropre à des vins de qualité. Il faudrait pourtant nous en accommoder.

Le parc à barriques, en revanche, était de facture classique. La réglementation de la Rioja imposant des temps d'élevage ridicules, les caves ne s'encombraient pas de tonneaux de qualité. La plupart étaient contraintes d'en conserver de très anciens, fatalement délétères pour la qualité des jus. Une solution s'imposait : le « grand nettoyage » ! À cette époque, les riojas avaient un goût caractéristique de vieux bois moisi, terreux et poussiéreux. Même un anosmique l'aurait identifié ! Dans ces récipients massifs où l'on ne contrôlait pas la température, il était malaisé d'élaborer des crus élégants et frais. Nous avons pourtant réussi en 1987 avec Cosme Palacio, un vin débarrassé des vieux démons de la région. Sans doute avions-nous pris quelques libertés avec la réglementation locale sourcilleuse, passé en barriques le volume et le temps nécessaire pour obtenir de bons jus.

En 1989, un homme charmant, qui roulait doucement les « r », venait à Bordeaux. Il souhaitait que je le conseille en Rioja. Le professeur Peynaud, avec lequel il avait longtemps travaillé, venait de se retirer. Monsieur Enrique Forner avait créé Marques de Caceres au début des années 1970. Il avait su imposer un style de vin plus moderne, plus frais, qui se distinguait de celui des riojas traditionnels. Une belle réussite que ce produit élaboré en volume important dans une cave démesurément grande. Il est vrai que la dimension industrielle limite souvent un travail précis. Quelques mois plus tard, je découvrais une équipe déterminée à faire de Marques de Caceres un fleuron de cette belle région. Je me souviens de discussions interminables quand il s'agissait d'évaluer une récolte ou déterminer les assemblages pour les crianza, les réserves et grandes réserves. Avec monsieur Forner, au caractère bien trempé, les joutes verbales étaient musclées tout en restant courtoises. Sa fille, Christine, s'est révélée une dégustatrice tout aussi impénitente. Elle assiste maintenant à chaque séance de dégustation. Déjà vingt ans passés dans cette entreprise, avec le regret de monsieur Forner, disparu en 2011.

Août 1990. Je visitais pour la première fois Marques de Grinon, vignoble de Malpica situé au sud-ouest de Madrid, magnifique propriété de mon ami Carlos Falco, plantée en 1976 sur les conseils d'Émile Peynaud. Ce dernier ne voulant plus se déplacer aussi loin en Espagne, Carlos me demanda de lui succéder. Alors que le professeur avait déconseillé le petit verdot, je préconisai, douze ans après, d'en planter. Par chance, cette variété, réputée si difficile, révélera toute sa puissance dans cet endroit. Aujourd'hui, Marques de Grinon est un des meilleurs vins produits de ce cépage, sinon le meilleur, sur la planète. Une décade plus tard, l'histoire continue et les vins demeurent parmi les plus remarquables d'Espagne. Il est vrai que le marquis, ingénieur agronome de formation, a mis toute sa passion pour créer et maintenir ce vignoble atypique mais aussi combattre les régulations poussiéreuses du pays, sans doute l'un des plus sévères en matière de législation et de codification. Il faut bien avouer que les politiques agricoles européennes, c'est beaucoup de paperasses et d'inutilités. Comment supporter l'incompétence de théoriciens qui ne savent pas distinguer un piquet d'un cep de vigne ? À l'abri des réalités du terrain, ceux-là s'obstinent à pondre des édits.

En 2001, avec Jacques et François Lurton, nous avons créé un nouveau vin à Toro, Campo Eliseo, splendide région viticole entre la Ribera del Duero et le Portugal. Le climat continental donne des tempranillo charnus et puissants. Je rêvais de faire du vin en Espagne. Une fois de plus, le rêve était devenu réalité.

L'Italie

En 1991, après une conférence donnée à Vinexpo, le plus grand salon du monde dédié au vin, je rencontrai deux Italiens. Le premier, Ambrogio Folonari, dirigeait la maison Rufino, producteur et négociant. Il possédait des vignobles dans plusieurs terroirs de la Toscane mais déplorait la stagnation de ses vins. Les blocages familiaux empêchaient toute évolution. L'expérience fut rude, mais nous étions résolus à surmonter tous les obstacles. Grâce à une grande complicité, nous avons réalisé des assemblages surprenants. Je suis convaincu que l'empathie peut rendre efficace. Le second, Lodovico Antinori, bel esprit cultivé, parlant un français mâtiné d'italien, venait de créer, toujours en Toscane, Ornellaia, avec André Tchelistcheff, star des œnologues américains de Napa Valley. Ce dernier avait mis un terme à son activité en raison de son grand âge ; à quatre-vingt-dix ans, comment le lui aurait-on reproché ? Lodovico, tenace et opiniâtre, n'avait qu'une petite ambition : produire les meilleurs vins d'Italie ! La feuille de route avait le mérite d'être claire.

Il existait alors deux produits phares : Masseto (30 000 bouteilles) et Ornellaia (200 000 bouteilles). Si l'un était un pur merlot, l'autre était issu de cépages interposés : cabernet-sauvignon, cabernet franc, merlot, petit verdot. Lodovico Antinori a réussi : ces deux vins sont devenus les emblèmes de l'excellence italienne. De véritables œuvres d'art que les collectionneurs s'arrachent. En dix ans, ce petit endroit de la Toscane, Bolgheri, allait devenir aussi célèbre que Pomerol ou Le Montrachet. Ce grand terroir surplombe la Méditerranée qui s'étale au loin. Il est aujourd'hui la propriété de la famille Frescobaldi ; la grande tradition de qualité y est scrupuleusement respectée. L'équipe en place continue d'élaborer des vins exceptionnels de finesse et de complexité. Une demande toujours supérieure à la production. Et un succès pérenne, que beaucoup envient.

Je garde un souvenir ému de notre découverte de la Toscane. Avec Dany, nous l'avions survolée en hélicoptère. Une campagne ocre, où les ifs tracent des chemins. Il m'a été raconté qu'au XVIIᵉ siècle une élégante marquise aimait à se promener à cheval. Sa peau diaphane ne supportait pas le feu du soleil. Pour l'en protéger, son époux avait fait planter des milliers des pins parasols. Comment ne pas tomber sous le charme de cette région, de sa gastronomie, de ses pâtes au *cinghiale*[1], de ses habitants ? Toutes ces villas qui se détachent à mi-pente, ces terrasses de mimosas, ces guirlandes de vignes, ces allées d'oliviers, ces parterres ourlés de buis, où le chant râpeux des cigales annonce l'été. Et puis il y a Florence, avec ses collines au loin, ses dômes blancs, son Arno impétueux, plus blond que notre Garonne.

L'Inde

« *ce vieux pays des merveilles* »
Stefan Zweig

L'année 1993 fut riche en rencontres. Je fis la connaissance de monsieur Grover, venu des Indes pour me raconter sa passion du vin et de la cuisine. Ce septuagénaire surprenait d'abord par son élégance. Le chic anglais sans

---

1 Sanglier.

la sophistication. Un beau visage, émacié, presque ascétique. Son père avait été – m'a-t-on dit – le précepteur d'une famille de maharaja. Kandwal Grover avait conservé des aristocrates les manières et les tenues vestimentaires. Des pantalons aux pliures impeccables. Son rêve à lui, c'était de faire du vin dans son pays. Qu'y a-t-il de plus agréable que d'écouter les douces chimères de ceux qui s'évertuent à ne pas être raisonnables ? Son obstination expliquait peut-être sa jeunesse inoxydable. Il me raconta patiemment ce qu'il avait entrepris. Il avait planté de la vigne qui peinait à pousser et produisait un vin franchement médiocre. Je me suis dit en mon for intérieur : « L'Inde, ce n'est pas pour toi. Il vaudrait mieux tenter l'aventure dans des pays qui possèdent une tradition et une culture viticoles… » C'était méconnaître les capacités de persuasion de ce monsieur et de son fils qui, lors d'une autre visite à Paris, finirent par organiser mon voyage en Inde.

Première visite au mois d'août. Avec ma femme, nous avons parcouru cet immense pays, de Bombay à Delhi, en passant par Bangalore, où se situait le vignoble. On était en pleine mousson, mais, au sud de l'Inde, on n'a pas à souffrir de sa violence. Nous découvrîmes la cuisine indienne, le daal et le tandoori, aux épices savamment dosées. Mais aussi les bazars colorés, les bijoux scintillants. Les femmes aux larges yeux suppliants, ceintes de lin, nous observaient. À chacun de nos déplacements, monsieur Grover mettait un point d'honneur à ce que tout soit parfait. Et cela l'était. Il téléphonait aux restaurants pour s'enquérir de ce qui nous serait proposé. Pour nous, Européens, ce pays exerce d'un bout à l'autre une véritable fascination. Les Anglais ne s'étaient pas trompés. La misère est partout, la jalousie nulle part. Une population souriante et amène. Si les catholiques avaient pu s'inspi-

rer des principes hédonistes de cette population, on joue-
rait peut-être moins mal à la vie sur notre Vieux Continent.

Sur le plan viticole, la situation brossée par notre hôte
semblait fidèle à la réalité. La vigne se développait peu
et les vins n'étaient pas les plus passionnants que j'avais
goûtés. Avec mon collaborateur Julien Viaud, nous éva-
luâmes l'énorme travail à accomplir. Dans ces régions
tropicales, la vigne ne connaît pas de repos végétatif. Il
fallait apprendre à contrôler le phénomène. Bien sûr,
dans leurs budgets, le père et le fils avaient prévu deux
récoltes par an, ce que la nature permettait, théoriquement tout au moins. Le climat indien n'a que deux saisons : la « sèche », d'octobre à juin, et la mousson, de
juin à septembre. La prudence voulait qu'une récolte
passe son cycle en saison sèche, et l'autre pendant la
saison des pluies. Malheureusement pour le chiffre d'affaires, nous avions décidé d'arrêter de cueillir les raisins
en septembre : les fruits étaient détruits par la pourriture
acide avant de parvenir à maturité. Les moûts obtenus
ne présentaient pas une qualité suffisante. Il faudrait
cependant tailler après la récolte de mai ; faire tomber
les fruits après la floraison et tailler de nouveau au mois
d'octobre sur des bourgeons mis en dormance.

Les vignes, toutes en pergola à cette époque, étaient
soutenues par des piliers de granit, que l'on trouve en
abondance dans cette région. Quelle beauté ! Durant la
mousson, les sols – par leur grande teneur argileuse – se
transformaient en bourbiers, puis en béton lors du retour
de la saison sèche. Ce phénomène de compaction expliquait en partie la faible vigueur de la végétation. Des
conditions bien insolites pour un vignoble : les pieds dans
l'eau pendant cinq mois et dans le ciment le reste de
l'année ! Après deux ou trois ans de travail acharné, nous

arrivâmes enfin, avec un jeune Français, Bruno Yvon, en permanence sur le site, à produire un vin correct. Un véritable tour de force compte tenu du personnel local, dont l'incompétence n'avait d'égale que la gentillesse, mais aussi de l'indigent et mauvais équipement de la cave. Les débuts furent certes compliqués, mais, en une poignée d'années, la production et la qualité se sont considérablement améliorées.

À cette même période, les Indiens commençaient à délaisser le whisky au profit du vin pendant les repas. Bien sûr, l'Inde ne sera jamais un pays de grands crus mais les vins peuvent y être agréables. L'importance de la population indienne ne peut que faire rêver les pays producteurs car, comme pour la Chine, le réservoir de consommateurs est énorme.

Le Chili

Durant le salon Vinexpo 1993 s'était présenté à mon stand un couple souriant, Alexandra et Cyril de Bournet. Une entrevue importante dans ma carrière d'œnologue « volant ». Alexandra – fille de Jacques Marnier, héritière de la liqueur du même nom – arpentait les couloirs à ma recherche, la *Revue vinicole internationale* sous le bras. Marie-Claude Fondanaux avait écrit un article plutôt flatteur à mon propos. « Nous voulons faire du vin au Chili. Je viens de lire ce papier. Vous êtes l'homme qu'il me faut. Mais je vous demande l'exclusivité dans ce pays », me déclara d'emblée Alexandra. Il est vrai que je n'avais jamais envisagé semblable prérogative ; je n'avais aucun intérêt à restreindre mon activité. Que serais-je devenu si je n'avais été fidèle qu'à Bordeaux ? Je réfléchis. Les propriétés sud-américaines que je conseillais étaient toutes en Argentine... Pourquoi ne pas accepter un seul client au Chili ? La décision ne fut pourtant pas évidente car l'exclusivité peut se révéler un frein à notre métier. Lorsqu'on est confronté à plusieurs dossiers, on accumule des connaissances précieuses sur un pays, ses climats, ses sols, ses potentiels. Nous avons tout de même réussi, avec le Clos Alpata, à élaborer un des vins leaders du Chili, numéro 1 au Top 100 du *Wine Spectator*. Aujourd'hui, une marque reconnue et respectée dans le monde.

Juillet 1993, premier vol pour le Chili et premier désagrément. Paris-Madrid, Madrid-Buenos Aires, Buenos Aires-Santiago. J'arrivai d'un pas serein au contrôle de police. Le préposé feuilleta patiemment mon passeport, à la recherche de mon visa. Mais de toute évidence, il n'y en avait pas. La compagnie Iberia avait omis de me préciser que le pays en exigeait un pour les Français. Je fus conduit quasiment *manu militari* dans une pièce aussi exiguë que sombre, d'où je ne pouvais sortir. Pas de téléphone portable à cette époque. Après deux heures de conversations infructueuses, on me remit, toujours sans excès de gentillesse, dans un avion pour Buenos Aires. N'en déplaise à Brel, sans visa, l'aéroport de Santiago est aussi triste qu'Orly. Entre-temps, l'ambassade de France en Argentine m'avait préparé le précieux sésame. Ce même jour, je retournai au Chili par un autre vol. Fort heureusement pour moi, je n'eus pas affaire au même policier. S'il avait dû me contrôler de nouveau, il aurait fait un arrêt cardiaque.

Après ma première visite durant l'hiver austral, on me répéta que les vignobles étaient plantés en merlot. Bien sûr je le croyais. Durant le repos végétatif de la vigne, il n'est pas évident d'identifier précisément les cépages. Quand je suis revenu au mois de novembre, la vigne avait ses feuilles ; c'était la période après floraison. Je me souviens très bien de ce que j'ai pensé en regardant les ceps : « J'ignore quel est ce cépage, mais ce n'est pas du merlot ! » Grâce au professeur Boursicot, nous avons appris qu'il s'agissait de carmenère, cépage originaire du Bordelais qui avait disparu lors de la destruction du vignoble par le phylloxéra. Je n'en avais jamais vu. Mes connaissances en ampélographie, je dois l'avouer, restent limitées. Quant aux Chiliens, ils mentaient, mais sans le savoir.

Ils mentiraient d'ailleurs longtemps, et ce sans arrière-goût de culpabilité. Pourquoi ? Parce que le merlot était décidément plus en vogue. Durant quelques années encore, ils se refuseraient à révéler le cépage de leur vignoble. On leur pardonnait. Il n'existait pour eux qu'une vérité : le merlot avait grand succès sur le marché américain. Et quand il fut décrié en raison de la médiocre qualité des vins produits (essentiellement aux États-Unis), les propriétaires chiliens clamèrent haut et fort que le pays produisait beaucoup plus de carmenère que de merlot. Ils réparaient ainsi une erreur historique. La défense des intérêts rend toujours plus loquaces...

Dix-huit années passées au Chili. Comme dans tous les pays du Nouveau Monde, les progrès accomplis ont été considérables. Les vins possèdent aujourd'hui une qualité indéniable. Seule ombre au tableau : l'activité viticole est portée par quelques grosses entreprises uniquement. Un grand nombre d'acteurs modestes aurait certainement contribué davantage au prestige des vins chiliens à l'international.

Le Portugal

En 1994, je me rendis pour la première fois au Portugal. J'avais été contacté par Aliança, une entreprise importante qui développait ses exportations et cherchait à améliorer ses vins. Je découvris de nouveaux cépages, comme le baga, la touriga nacional, la touriga franca et tant d'autres encore. Une expérience importante, avec une équipe aussi déterminée qu'enthousiaste. La nouveauté est toujours plus excitante que la répétition. Dans ce pays, les traditions sont fortes et la cuisine simple mais succulente. Au début du XXIe siècle, la fondation Eugénio de Almeida m'a sollicité pour réaliser une cave ultramoderne à Évora, dans la région de l'Alentejo.

Le Maroc

En 1999, Bernard Magrez, éternel insatisfait, me demandait de visiter son vignoble à Meknès pour évaluer ce qui pouvait être changé. Je me souviens des conversations et surtout des questions durant le vol, incessantes et précises. Il n'est pas de pays où la viticulture soit sans problème. Début juillet, tout allait pour le mieux : les vignes vertes et belles promettaient une récolte abondante. Une quinzaine de jours plus tard, le vent du Sahara, le chergui, soufflait. En quelques heures, les raisins perdirent 50 % de leur poids. Ce ne fut pas notre cas. La cuisine délicieuse et abondante décourageait tout régime.

L'Afrique du Sud

En 1998, j'avais commencé à donner des conseils au château Clarke, appartenant à Nadine et Benjamin de Rothschild. D'importants travaux avaient été entrepris dans la propriété, conçue et réalisée par le baron Edmond, décédé en 1997. Il fallait juste un petit coup de pouce pour faire progresser le produit et l'image de ce beau vignoble. Le gérant du domaine, Bertrand Otto, grand et sympathique jeune homme d'allure germanique mais au bagout méditerranéen, me demanda d'intervenir en Afrique du Sud où les familles Rothschild et Rupert venaient de s'associer dans un projet de cave.

Direction Le Cap, merveilleuse ville, dominée par la montagne de la Table. La propriété, Fredericksburg, ne produisait du vin que depuis un an. Je remarquai tout de suite les infrastructures modernes et l'efficacité du jeune œnologue, Schalk-Willem Joubert. Ce garçon solide, travailleur, a su comprendre que la psychologie était aussi importante que l'œnologie. Il faut dire qu'il avait en face de lui un conseil d'administration de poids. Comme dans tous les vignobles du Nouveau Monde, on recherchait un mode de culture. Mais, depuis le *bush vine* jusqu'aux plantations sur les buttes, en passant par les rangs de vigne côte à côte, nous ne cessions de pointer les incohérences. Les jeunes générations, nouvellement aux commandes, voyageaient et s'informaient. Ils savaient répéter : « Nous sommes ici en Afrique du Sud, et tout est différent. » Une exception que l'on prétexte un peu partout dans le monde. Il est pourtant des évidences que personne ne doit ignorer : un mauvais vignoble donne de mauvais raisins, un vignoble entretenu a des chances de donner de bons raisins.

Je constatai que beaucoup de vignes devaient être arrachées et replantées ; l'Afrique du Sud se révélait un pays à virus. Avec Rosa Kruger, consultante en viticulture, nous avons discuté de longues heures. Nous réaliserions quelques années plus tard de belles parcelles de haute densité, dans le magnifique domaine de L'Ormarins. On était confronté à des véraisons difficiles, comme souvent dans l'hémisphère Sud. Il était malaisé d'obtenir une juste maturité des fruits, avec des degrés alcooliques raisonnables dans les vins. Né du croisement entre le pinot noir et le cinsault, le pinotage est le cépage emblématique du pays, curieusement peu apprécié sur place. Je trouve intéressant qu'une région productrice possède une variété dominante : le carmenère au Chili, le malbec en Argentine, le tempranillo en Espagne, le sangiovese en Italie.

Je créai Bonne Nouvelle, produit sur le magnifique domaine Remhoogte Estate de la famille Boustred, complanté en cabernet-sauvignon, merlot et pinotage. La région du Cap surprend par sa beauté. Christian Dauriac, un ami de cinquante ans, a fait l'acquisition de la propriété Marianne. Tous ces noms français ont été donnés par les huguenots[1] ayant fui les persécutions. Triste constance de l'Histoire : les religions engendrent souvent les fanatismes ; certains usent de beaucoup de talent pour unir le meurtre à la foi.

---

1 En Afrique du Sud, les huguenots, dont certains étaient originaires de la région bordelaise, ont contribué à l'implantation de la viticulture locale à partir de la fin du XVIIe siècle.

La Hongrie

J'effectuai une première visite en Hongrie avec Jean-Paul Marmin et Jeffrey Davies en juillet 1989. Les caves, installées autour du lac Balaton, me semblaient toutes plus vieilles et sales les unes que les autres. Ce fut une de mes plus piteuses dégustations hors de France : les vins, franchement mauvais, avaient des goûts étrangers, d'une « complexité » difficile à imaginer.

Deuxième visite en novembre 1989. Le pays était alors en liesse, le mur de Berlin venait de tomber. La fin du communisme rendait les esprits euphoriques. Je me rendis à Tokaj avec Jean-Michel Arcaute, qui souhaitait investir dans ces vins liquoreux, fameux depuis le XVIe siècle. Cette année-là, l'État voulait vendre ses propriétés, réunies sous un même nom délicat, « Kombinat », avec les vignes, les caves et les stocks de vin. Une série de dégustations, sans doute les plus drôles de ma carrière, commençait. Dans des caves creusées à vingt mètres sous terre étaient entreposés des vins horribles, mais aussi des trésors. C'est ainsi que j'ai pu goûter des tokays 6 puttonyos de 1957 encore en fûts, des essencias de quarante ans, qui faisaient seulement 4° d'alcool. Cette errance vineuse dans les cryptes du temps nous fit découvrir des flacons exceptionnels. Seule ombre au tableau : à chacune de nos visites, tous les deux mois, on ne nous présentait jamais les mêmes échantillons.

On peut trouver plusieurs variantes de tokay. L'essencia est le résultat de l'écoulement naturel des jus sucrés, provenant des raisins botrytisés stockés dans de grands conteneurs, qui reçoivent jusqu'à cinq tonnes de fruits. Le moût peut atteindre une concentration de six cents grammes par litre. Il est infermentescible. Seul le vieillissement dans les caves permet à l'humidité ambiante de diluer la surface. Alors le taux de sucre abaissé autorise la fermentation, qui est stoppée presque aussitôt par l'alcool. Quelques mois plus tard, la dilution de la surface laissera s'enclencher de nouveau la fermentation. C'est la raison pour laquelle des vins en fûts depuis vingt ans possèdent un titre alcoolique de 4 à 5°. La qualité des vins de Tokay s'échelonne de 3 à 6 puttonyos. La tradition était de mélanger les jus pressés de trois, quatre, cinq ou six hottes spéciales[1] avec un fût[2] de vin sec de l'année précédente. Ce coupage gardait des taux de sucre allant jusqu'à deux cents grammes par litre pour les plus élevés. Il refermentait et restait en cave à 13 °C durant plusieurs années avant la commercialisation.

Les moûts pressés, avec des teneurs en sucre très variables, étaient mis en cave. Lors de la fermentation, ils produisaient du gaz carbonique. Conséquence : personne ne descendait contrôler les barriques pendant trois ou quatre mois. Il fallait attendre que le CO_2 s'évacuât. À ce moment-là seulement, on pouvait procéder à un bilan des fûts : certains étaient fermentés, d'autres en arrêt de fermentation, d'autres encore perdus à cause d'une acidité volatile trop élevée. J'avais imaginé qu'il n'était pas compliqué de faire barboter le CO_2 qui se dégageait des barriques dans de la soude pour former un carbonate quelconque... Je me souviens des ouvriers de la propriété me regardant descendre les marches de la cave, avec ma

---

1 Hottes portées à dos d'homme (*puttonyos* en hongrois) pour le transport des raisins.
2 Contenant 128 litres.

bougie au bout d'un bâton, tel un mineur, afin de vérifier l'absence de gaz. Ils étaient sûrs qu'ils ne me reverraient pas vivant. Quand je remontai avec un large sourire, ils n'en crurent pas leurs yeux ; j'étais un miraculé. Je me souviens aussi de leur réaction quand furent installées les cuves en inox. À pas feutrés, ils s'en approchaient. Ils attendaient alors que nous ayons le dos tourné pour les caresser, longuement, comme un fruit défendu.

Le Mexique

Un soir à Rutherford dans la Napa Valley, à L'Auberge du Soleil, un restaurant niché dans les collines, nous dînions tranquillement. À la table voisine se trouvaient un tonnelier français et ses clients. Au cours du repas, Alain Fouquet vint me voir : « Monsieur Ernesto Alvarez-Murphy Camou souhaiterait te rencontrer... » Je m'exécutai. L'homme m'accueillit en espagnol et ne manquait pas d'humour : « Vous êtes en famille ? » « Oui, je suis là avec ma fille Marie, et ma nièce Virginie Rolland. » Et lui de répondre aussitôt, le plus naturellement du monde : « Je vous invite tous au Mexique le week-end prochain ! » Interloqué, je réfléchis quelques secondes... Pourquoi ne pas accepter ? Je ne connaissais pas le pays.

Deux jours plus tard, nous atterrissions à San Diego. Direction le château Camou. La propriété était située dans l'État mexicain de Basse-Californie, au niveau d'Ensenada. Une petite cordillère protégeait ce lieu du froid du Pacifique. D'énormes blocs de roches granitiques antiques enserraient la vallée. Je remarquai une vigne de cépage sauvignon blanc, vieille d'une cinquantaine d'années.

Preuve que la production du vin n'était pas nouvelle dans cet endroit. Après la visite et la séance de dégustation, je constatai que beaucoup de progrès devraient être accomplis. J'y travaillerais six ans durant. Alors que nous arpentions les vignes, un employé me fit signe : dans un fût en plastique s'entrelaçaient joliment cinq serpents à sonnette. Dans cette région, les ouvriers les attrapent vivants pour les vendre ensuite à des laboratoires qui commercialisent des sérums antivenins. Inutile de préciser que Marie et Virginie regardaient où elles posaient les pieds.

Le Brésil

Comment oublier Rio de Janeiro, sa samba, son carnaval ? La zone viticole historique se situe au sud, près de Porto Alegre, dans la vallée de Los Vinedos, entre Caxias do Sul et Bento Gonçalves. D'autres régions de production sont apparues depuis. Le vignoble, autrefois précaire, s'améliore d'année en année. Il lui faut encore vieillir. On trouve aujourd'hui des plantations jusque dans le nord ; sous ce climat tropical, les plantes ne s'arrêtent jamais de pousser. Dans une même propriété, on peut voir ainsi des vignes en fleur, d'autres sur le point d'être vendangées, d'autres encore sans feuilles ni bois. Miolo, la société avec laquelle je travaille depuis près de dix ans, possède des vignobles dans presque toutes les zones. Bruno Lacoste est mon collaborateur actif.

La Bulgarie

Quelle ne fut pas ma surprise de recevoir un appel téléphonique de Bulgarie ? Je savais ce pays producteur. Je me souvenais qu'il avait créé la surprise à Vinexpo dans les années 1990 en offrant le vin le moins cher du salon. Quand je me rendis sur place, je fus choqué : les infrastructures des caves paraissaient totalement obsolètes, pauvres restes délabrés de l'ère communiste. Toutefois, les vins me paraissaient corrects. Un véritable exploit dans un tel contexte. Je m'interrogeais. Aux commandes de Telish, la société qui m'avait contacté, Jair Agopian. Un personnage haut en couleur. Ce quarantenaire stressé, malin, pugnace, débordait d'ambitions. La première de toutes : faire progresser le vin bulgare et son image dans le monde. Inlassable questionneur, il voulait connaître toutes les procédures qualitatives. Il avait plus de questions que je n'avais de réponses. Je devais autant le rassurer que l'encourager. J'en étais sûr, il accomplirait, lui aussi, sa révolution.

Nous avons planté cent soixante-dix hectares de vignes, en privilégiant une diversité de cépages : cabernet, sauvignon, merlot, syrah, cabernet franc, pinot, petit verdot. Comme dans tous les nouveaux territoires, on n'avait pas d'idées préconçues sur une variété plutôt qu'une autre. Mieux valait préalablement « ratisser un peu large », pour sélectionner par la suite. En Bourgogne, les moines ont mis six cents ans pour déterminer les climats. Au bout de cinq ans, on ne pouvait prétendre tout savoir. Il fut décidé ensuite de bâtir une cave moderne, entièrement gravitaire, de privilégier une vinification en barriques. Jair Agopian a compris qu'il fallait favoriser la formation pour stimuler ses employés. Il a choisi de s'entourer de trois jeunes œnologues bulgares, Plamena Kostova, Todor Katsarov, Anton Dimitrov, et les a envoyés en stage dans des propriétés prestigieuses en France, aux États-Unis, en Argentine, au Chili et en Afrique du Sud. Au final, une équipe dynamique, à l'écoute, soucieuse de progresser. Chacun d'entre eux continue de manifester une énergie rare. Dans ces pays, on veut avancer car on se souvient. Pour les autres employés, Jair Agopian a fait construire une chapelle. Après le travail, le recueillement. Tous le respectent. La réussite, elle se situe là aussi.

Avec les raisins du vieux vignoble kolkhozien, qui n'a d'intérêt que l'âge, on produit deux vins superbes, Via Diagonalis et Castra Rubra. La Bulgarie, pays en bordure de la mer Noire, possède des régions viticoles avec un grand potentiel. Ses vins ne sont plus les moins chers, mais le rapport qualité-prix reste imbattable. Chaque millésime confirme les progrès.

La Turquie

Voici l'un de mes plus récents dossiers. Sentinelle sur le détroit des Dardanelles, ce vignoble magnifiquement planté en haute densité produira sans aucun doute des vins de très bon niveau. Les propriétaires, mon collaborateur Steve Blais et moi, espérons bien en avoir la confirmation en 2012.

L'Arménie

Il est des histoires curieuses dans la vie. Ainsi de ma rencontre avec Eduardo Eurnekian. Notre premier entretien, je le confesse, ne m'avait pas convaincu de me rendre en Arménie. Mais quelques années plus tard, cet homme d'affaires est devenu partenaire d'une *bodega* argentine qui me consulte et a demandé à me rencontrer de nouveau. Lors de cet autre rendez-vous, j'ai compris ce que je n'avais voulu comprendre la première fois : son attachement à sa terre natale. Au début 2010, je décidai de l'accompagner dans son aventure. Encore un chevalier de l'impossible. Il a créé de toutes pièces un superbe vignoble dans son pays, berceau de la civilisation viticole, où les cailloux ont l'air de pousser plus vite que dans n'importe quel autre endroit du monde.

La Croatie

La splendeur de la côte croate ! Un jour de juin 2009, je dis à Ernest Tolj, mon client : « Si nous ne faisons pas de bons vins dans un tel endroit, je change de métier ! » Il prit très au sérieux ce qui aurait pu rester une boutade. Une nouvelle aventure se dessinait, que mon intuition me disait de ne pas refuser. J'ai toujours cru qu'il existait une interaction entre la beauté d'un site et la qualité des vins. En Croatie, les coteaux plongent dans la mer Adriatique et la vigne, cette « reine végétale » selon la délicate expression de Gaston Bachelard, pousse sur d'innombrables îles.

Un spectacle rare. Avec Thierry Haberer, mon collaborateur, nous travaillons sur des cépages autochtones, particulièrement le plavac mali.

Israël

C'est toujours avec émotion qu'un judéo-chrétien retrouve ses racines. Jérusalem, Nazareth, Bethléem. On regrette que le pays demeure une terre de conflits. Quand j'ai visité les vignobles appartenant à la société Maharal, en 2010, j'ai dû passer en Palestine et traverser le plateau du Golan. Je n'ai pas compris pourquoi ces pays ne savaient trouver la paix. La vigne – avec laquelle on fait le vin, symbole du sang du Christ lors des célébrations chrétiennes – pousse aussi bien en Israël qu'en Palestine. Je ne m'attendais pas à rencontrer une telle qualité dans ce pays de soleil. J'y ai trouvé aussi une belle solidarité, qui m'a permis de déguster pratiquement tous les vins produits. J'aime aussi les lumières qui dansent sur la Méditerranée, les grappes de fleurs qui bordent les rues, et la chaleur épaisse qui n'éteint jamais les vibrations pressantes de la ville. En Israël, on a le sens de l'urgence, on a le sens de la vie.

Le Canada

Qui pouvait imaginer que le Canada produirait du vin? En 2004, j'ai eu la chance de rencontrer Anthony von Mandl, pionnier visionnaire. Son domaine, Mission Hill, dans l'Okanagan Valley, a su s'imposer comme un modèle d'intelligence et d'efficacité. Tout, dans ce projet, a été pensé, étudié, éprouvé. Une histoire que le propriétaire raconte avec amour et ferveur. Je ne suis en charge que des cuvées haut de gamme, Oculus. Sous ce climat froid, seule la proximité des lacs – créant un microclimat – permet de cultiver la vigne. Avec une viticulture adaptée, tous les cépages poussent et produisent des vins d'excellente tenue, frais et étoffés.

La Grèce

En 2005, avec mon collaborateur Steve Blais, je conseillai le domaine Lazaridi, situé au nord du pays. Le seul problème auquel nous fûmes confrontés : la grande vigueur du vignoble, peut-être trop bien entretenu. Les deux œnologues grecs, formés à la faculté de Bordeaux, continuent d'élaborer d'excellents vins, aussi bien avec les cépages internationaux qu'avec ceux typiquement locaux.

La Chine

J'imaginais que ma curiosité s'éteindrait doucement avec l'âge, mais le virus, semble-t-il, est tenace. Longtemps je me suis convaincu que je n'irais pas en Chine, puis j'ai fini par me laisser tenter. Lors de l'achat du château de Viaud à Lalande-de-Pomerol, j'ai rencontré les représentants du groupe COFCO Wines & Spirits, détenteur de la marque Great Wall. Accepterais-je de les aider en Chine ?

Mon collaborateur, Steve Blais, manifestait un grand enthousiaste. L'aventure était prometteuse, dans ce pays qui se développe avec une rapidité impressionnante. On a rêvé longtemps que la consommation de vin bénéficiât de la même croissance. Aujourd'hui, on se réjouit de sa constante augmentation. Les Chinois deviennent à leur tour des amateurs et cherchent à comprendre les phénomènes vinicoles et l'art de la dégustation. Lorsque je me suis rendu sur place, j'ai visité les vignobles et les infrastructures. Tout y est gigantesque. J'ai évalué les besoins et compris qu'on devait les aider à produire meilleur, pour que les nouveaux consommateurs ne soient pas déçus et ne s'orientent pas vers d'autres boissons. Il s'agit néanmoins de rester patient : il faut des années pour qu'un vin acquière de la personnalité.

Des vins sans histoire mais qui ont leur raison d'être. Ayons les papilles et l'esprit curieux ! Pourquoi considérer le terroir comme un absolu ? Le passé ne dicte pas inéluctablement la hiérarchie.

ÉPILOGUE

Ainsi vont les années, entre engouements, ruptures, renouveaux, délires cancaniers, inimitiés et ferveurs durables. Cette existence, entièrement dédiée au vin, m'a épargné l'ennui et a maintenu en moi une effervescence permanente. Elle devait logiquement « aboutir à un livre »[1]. Je souhaite à tous ceux qui suivront la même voie de connaître pareil enthousiasme, « ce dieu intérieur qui mène à tout »[2].

Mon métier d'œnologue, je l'ai vécu et continue de le vivre comme une passion. Ce que j'ai trouvé, je n'osais même pas l'espérer. À soixante-trois ans, je ne suis pas prêt à poser mon bagage, toujours en attente de projets. J'ai encore envie de me frotter à d'autres usages, de conquérir de nouvelles îles sous le vent, de découvrir dans le regard d'un autre cette lueur qui indique que la raison est une petite chose à la surface du monde. Sans doute m'aurait-il fallu plusieurs vies pour entreprendre ce que je n'ai pu réaliser.

---

1 Expression de Stéphane Mallarmé : « le monde est fait pour aboutir à un beau livre ».
2 Citation de Henri Mondor.

Le vin – je tiens à le rappeler – a vocation au plaisir, au rapprochement, à l'échange, plus qu'au dénigrement. Il possède cette spécificité de parler à chacun. Ne laissons plus à d'autres l'arrogance de penser pour nous. Ce qui est au fond d'un verre, même si les confusions idéologiques ou les préoccupations moralisatrices en retardent l'évidence, doit encore s'appeler l'émotion. En dépit d'interventions douteuses, l'intérêt grandissant pour le vin, l'art de la dégustation et de la vinification, témoigne de la nécessité d'une réévaluation. Le temps va jouer en faveur de l'acceptation des diversités et de nouveaux terroirs. C'est le pari de la curiosité contre l'aveuglement. Le triomphe de la tolérance contre le principe de précaution. Le vin se déploie aujourd'hui en des individus multiples, dont la façon de goûter, de commenter, de chercher la cohérence et l'agrément est forcément différente. Il faut s'en réjouir.

La vie est belle quand on la réinvente continûment. Il en est de même pour le vin. Les prédictions alarmistes n'y changeront rien.

Remerciements

Je dédie ce livre à tous ceux qui ont rendu
cette aventure possible :
ma famille, mes clients, mes collaborateurs.

TABLE DES MATIÈRES